巧克力很讚！謝啦，媽！

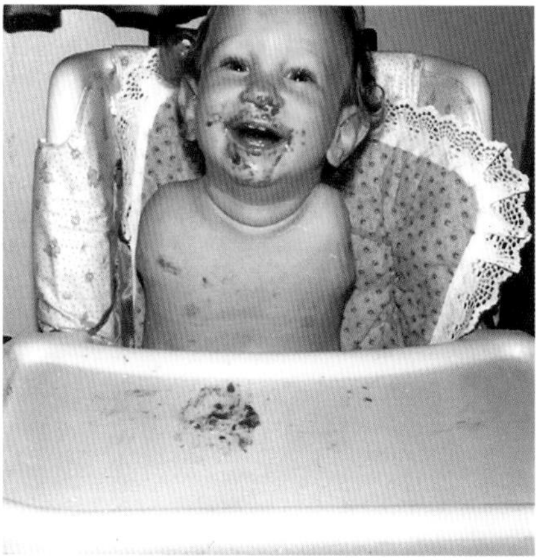

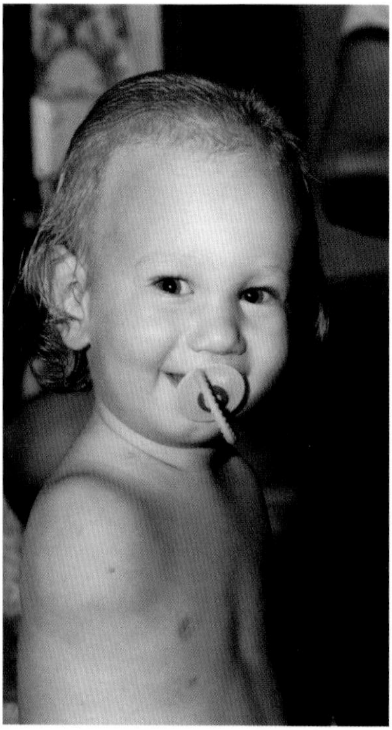

這是我最喜歡的照片（六個月大），快樂、自信又可愛，對吧？在那個年紀，我的無知便是福，不知道我跟別人不一樣，也不知道前方有許多挑戰在等著我。

兩歲半，正在駕駛並慢慢熟悉我的第一部「車」。各位，小心你們的腳啦！

我愛昆士蘭的沙灘，一直很喜歡去那裡玩我最愛的小汽車、小卡車。三歲時，我會猛地撲向岸邊的小波浪。

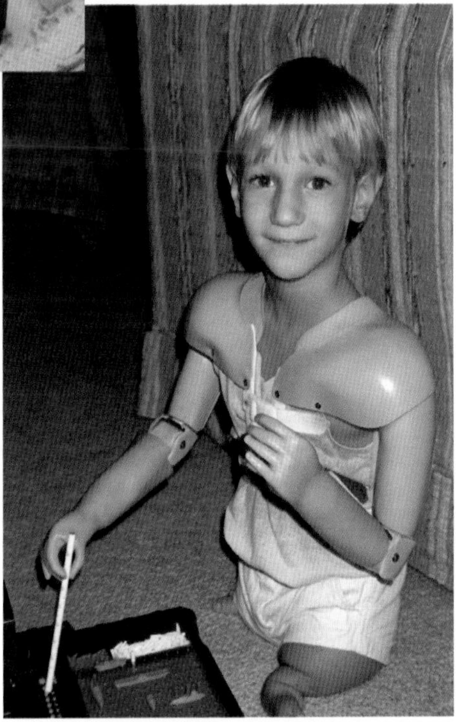

我弟弟和我最喜歡玩的遊戲是海戰棋，我有時會使用手臂，但是到最後，顯然我不使用義肢的效率比較好。

就像瓊妮・艾瑞克森・塔達說的「我們都有車」，在使用我的特製電動輪椅時，我有解放的感覺。

（照片提供：Ally）

任務完成！二〇〇三年，我二十一歲，從葛里菲斯大學畢業，取得財務規畫及會計雙學位。

二○○九年，爸媽和我合影於美國職棒安那罕天使隊的球場，
就在我要上臺面對五萬五千人之前。

和弟弟亞倫及他的太太蜜雪兒合影。

跟我的漂亮妹妹蜜雪兒碰面，沐浴在夏日氣息中。

正在跟指導員一起設計手語。那是我第一次在水池裡練習潛水。

與貝詩妮・漢米爾頓一起衝浪的驚奇體驗。當我鼓足勇氣、想靠自己在浪板上取得平衡時，她很親切地陪我一起衝。

（照片提供：NoahHamiltonPhoto.com）

看我衝浪黑狗兄的厲害！

（照片提供：NoahHamiltonPhoto.com）

迦納一場大型集會開始前，我的手心都流汗了。

無論到哪裡，我都會試著鼓勵我遇到的每個人以信心、希望、愛和勇氣克服逆境，如此才能去追求自己的夢想。這些男孩的喜樂真的把我「抬了起來」，讓我精神振奮。我永遠不會忘記二〇〇二年我們在南非共度的時光。

跟孩子們在一起讓我保持腳踏實地，特別是哥倫比亞那群喜歡踢足球的小朋友。

（照片提供：Carlos Vergara）

我永遠不會忘記珍妮特是如何鼓舞了每個有幸認識她的人。有人會說她輸掉了與癌症的戰鬥，但我要說，是她慈愛的天父把她疲憊的軀體帶回家了。她沒有輸掉什麼。她讓我們心碎，卻也讓我們知道如何在虛弱之中展現完美的力量。

（照片提供：Tony Cruz）

要開始囉！

Life Without Limits:
Inspiration for a Ridiculously Good Life

人生不設限

我那好得不像話的生命體驗

力克・胡哲 著
彭蕙仙 譯

【各界激賞推薦】

（依來稿順序排列）

我深信，當你低潮喪志甚至想放棄自己的時候，看到力克的故事，就會打從心底吶喊出：「我也要像他一樣，充滿希望，充滿力量地活出自己的光彩人生，我不是一無所有！」力克，你眞好樣的！

——范瑋琪（歌手）

「態度決定高度」，別管別人怎麼看你，重要的是：你的抱負是什麼？你願意如何奮鬥？小巨人力克讓我回想起自己年少需要建立自信的時候。只要願意不斷超越自己一點點，就終將出頭天。

——潘冀（潘冀聯合建築師事務所主持人）

很難不被他吸引！有時看他老氣橫秋地在說教，正想對他肅然起敬時，下一段他就不小心露出「力克式幽默」，逗得你對這「可笑法則」創始人的不像話，又敬又愛！

——趙翠慧（周大觀文教基金會副董事長兼總執行長）

力克將「自助天助」的眞理活出來了，他的這本著作的確是一本有助於鼓舞讀者克服人生一切難關的好書。

——單國璽（天主教樞機主教）

這本書是目前台灣社會上最「好得不像話的一本書」！

——廖泰益（信望愛台福基督教會牧師）

我們當中可能沒有人像力克一樣經歷過這麼多痛苦，所以，他是最有資格分享生命故事的人。你一定可以透過他的故事，激發出已經在你身上的潛能。

——連加恩（醫生作家）

「這麼大限制」的人生，竟然可以發揮「這麼大的力量」！你可以藉由這本書找到你自己，了解自己的限制，你就可以知道怎麼樣去突破！我很喜歡這本書，一定要用力推薦給大家！

——Freddy（閃靈樂團主唱）

力克勇敢、幽默地以文字分享他如何度過人生種種難關與障礙，找到他生命的目的，並過著他所謂的「好得不像話的人生」。我相信你若看了這本書，一定也會找到你生命的目的，並且活出沒有恐懼的人生！

——吳美君（台灣及香港Timberland總經理）

一個沒有四肢的人，憑什麼如此大聲地說他的人生好得不像話？我們被太多的社會

價值觀限制住，使我們一點都不自由。因爲他的奮鬥故事，我得到的卻不只是感動而已，也充滿了感謝。

——楊祐寧（優質演員）

看到力克的故事你會發現，你並非有所欠缺或限制，而是被自己的軟弱所擊倒。這本書對我們有很大的幫助，讓我們有力量走出自己的康莊大道。

——孫越（終身義工）

力克不講雲上的話，他都用日常生活中的眞實經驗來分享。特別在這本書上看到力克在流眼淚、困頓的時候，還能領悟奇妙且驚豔的生命恩典，讓我們在每一個不同生命中，都可以看見上帝無限的愛。

——許承道（台灣基督教長老教會總會牧師）

不管生命處在什麼狀態，特別是有不滿、失望、疑惑之時，請記得要保守自己的生命、歡喜看到自己的好；請不要忘記我們在力克身上見證到的愛與盼望。你一定會找到人生的意義和目標。

——鄭英兒（義光教會牧師）

在這個不安的世代，能給盼望的人，就是最有影響力的人。力克用生命寫的每字每句，都充滿了創造改變的力量！他眞誠而毫不保留地分享、憐憫、安慰、激勵，讓

你哭著又笑著，幫助你重整生命的觀點。這絕對是一本每個人都需要讀的書。請準備好衝出絕望的重圍！

——周巽正（台北靈糧堂牧師、國度豐收協會副理事長）

力克天生的殘缺，使他比一般人花更多的時間思考自己的生命，所有的悲傷難過成了他與人分享的故事中最高潮也最激勵人心的一部分。我渴望和他一樣活在一個無牆、無限制的態度中。

——梁文音（歌手）

今年初夏，我有幸專訪力克。一開始，我和大多數人一樣，只是對他身障者的樂觀人生充滿好奇，但是直到讀了這本書，才算是大大震撼！原來，上帝把這樣一個人捧到我們面前，不是單純爲了激勵我們這麼簡單。我已經很久沒有這樣奇妙的經驗，閱讀力克的故事就像剝洋蔥一樣，從第一層開始，眼淚就停不住一直掉下來；力克用他身體上的不完美，謙虛地邀請我們直視自己生命最艱難的內核，但過程卻又充滿了美好的盼望與信心。

——林奇伯（《遠見雜誌》採訪主任）

contents

〈譯者序〉

人生尋寶記

二〇一〇年六月力克訪台時，本來安排了我訪問他，我也準備了不少題目，不過，因爲他的行程滿檔，當天我等到了中午，還是沒有機會訪問。但我也沒有特別失望，因爲在旁聽別人訪問力克的過程中，我已經得到了答案。

人要夠自信才能眞正地謙卑，要夠堅強才能眞正地柔軟。這是我在看力克的故事，以及當天旁聽別人訪問力克時，最深的體會。怡然自得於自己本來的樣子，覺得自己是上帝的完美之作，並不是一件容易的事，更難能可貴的是，能夠從這樣的核心價值觀中輻射出追求成長與進步的動力——沒手沒腳的人生如果不是個缺憾，怎麼會明顯地就是有某些事情無法自己完成；但如果沒手沒腳是個錯誤，那豈不表示創造的上帝功力有問題？

力克的人生給了這個看似悖論的難題一個很美好的答案，個中祕訣在我看來就是他被上帝（以及家人和朋友）的愛深深觸摸了：只有活在愛與支持之中的人，才能充分理解到：原來我們每個人都是上帝的完美創造，但我們又不完全。我們的完美是個完成式，我

們的不完全是個現在進行式——完成與進行同步，上帝跟我們的約定眞是又酷又玄但又寶貴啊。

翻譯力克的書是我一個意外的禮物，在翻譯這本書的兩個月當中，我自己的生活面臨了很大的變化和挑戰。因爲白天忙碌，每天只有晚上才有時間靜下心來翻譯，大概從傍晚五點進行到深夜兩、三點，常常體力不支了卻還停不下來，因爲被力克感動得又哭又笑，我很想繼續知道更多。

這本書當然是個催淚彈，我不記得自己哭過多少次，印象最深的地方有兩個。第一個是力克寫到，當他十二、三歲時，母親對他坦承，他剛出生時，一開始她傷心難過得連看都不想看、抱都不想抱他。乍聽之下，力克不怎麼好過，但將心比心、想像當年母親所承受的一切，力克說：「我不確定如果我是媽媽，會不會做得比她更好。」

第二是癌症少年卡爾森．萊斯利病發後決定把《聖經》〈約書亞記〉第一章第九節的經文刻在墓碑上：「我豈沒有吩咐你嗎？你當剛強壯膽，不要懼怕，也不要驚惶，因爲你無論往哪裡去，耶和華你的上帝必與你同在。」他說，不論自己能活多久，希望當人們經過他的墳墓時，讀到這節經文，可以想想這節經文如何幫助他度過那段與癌症搏鬥的時光；這節經文安慰了他，卡爾森希望人們知道這節經文也同樣可以安慰他們。

〈約書亞記〉的這段經文我們常常會引用，但是直到在這樣一個情境出現時，第一次讓我有了深刻的震動——原來眞正的剛強壯膽是能夠把自己的人生活成一臺戲，而這臺戲可以讓別人因為你而認識剛強壯膽的源頭：耶和華。

力克的出生讓他父母的信仰面臨很大的挑戰；癌症少年卡爾森能夠安然就死，並把自己短暫的一生當作饒富恩典的標記，乃是因為他有清楚明確的信仰。譯到這兩個地方時，我大哭到幾乎難以為繼；在那樣深的夜裡，我也與自己的信仰有了一番深切的搏鬥與省思，最終體悟到，一直以來，我的人生未免花了太多力氣在追問「Why」，但務實且蒙福的態度其實問的更該是「How」。

Why指向的往往是負面的情緒，而How指向的常常是正面的行動。力克的書裡帶給我最多啓發的正是許多的How，特別是附錄裡提到的數位行善，讓已經翻譯到最後關頭的我精神為之一振，原來這個時代有這麼多有創意、化整為零的做善事、好事的觀點和方法。力克一再強調，不必擔心自己資源少，因為一顆「願意的心」，比什麼都重要。書中的創意行善給了我很多激勵和靈感。

這本書當然不只讓人落淚，力克也讓人開懷，例如羅馬尼亞旅館的蚊子大攻擊、機艙行李櫃的躲貓貓、澳洲購物中心的人形模特兒、美國廁所的失褲記、加拿大的萬聖節裝鬼記……信手捻來，好多地方都能讓人捧腹大笑，就連校園霸凌恰吉篇都有一種黑色幽默

的況味。力克的每個笑話都跟他沒有四肢的形體有關，這個被他自己形容爲「部分零件不足」的身體和人生際遇，一方面讓人流淚不捨，一方面又讓人拍案驚奇。看看他這人生，的確是有點好得不像話啊。

「我拿什麼報答耶和華向我所賜的一切厚恩？我要舉起救恩的杯，稱揚耶和華的名。」《聖經》〈詩篇〉第一百一十六篇第十二到第十三節，是我譯完這本書之後心頭湧現的第一個感動，因爲在譯書的過程中、在力克的字裡行間，我竟然也尋找到了自己人生裡頭許多好得不像話的際遇。

說不定，讀完這本書，你也可以來一趟這樣的人生尋寶記哦。

P.S. 謝謝方智出版社的主編小良給我機會翻譯這本書，也謝謝淑雲對我的信任與耐心，以及她謹慎仔細的編輯作業。

〈前言〉

我眞是幸福得不像話

我叫力克．胡哲，今年二十八歲。我一生下來就沒有四肢，不過，我可沒有被這個狀況限制住。我在世界各地旅行，鼓勵了上百萬人以信心、希望、愛和勇氣克服逆境，追求自己的夢想。我在這本書裡將和大家分享我如何面對難關與障礙，其中有些是我個人的獨特經驗，但大部分則是我們每個人都會經歷的。我寫這本書是爲了鼓勵你克服挑戰與困難，好讓你找到自己生命的目的，走向好得不像話的人生。

艱苦難熬的時光和困境會引發自我懷疑和絕望，這點我非常了解。我們常常覺得人生眞不公平，然而《聖經》〈雅各書〉第一章第二節上說：「你們落在百般試煉中，都要以爲大喜樂。」那是我掙扎了許多年想學會的功課，最後我終於弄懂了，而且我的經驗可以幫助你了解到，每個人所經歷的苦難，大部分都提供了機會，讓我們探索人生目的，並以珍貴的天賦嘉惠他人。

我的父母是虔誠的基督徒，不過，看到我出生時那沒手沒腳的模樣，他們也不禁懷疑

上帝到底在想什麼。一開始，他們認為我不可能過正常生活，我的人生毫無希望、沒有未來。

然而，今天我過著完全超乎我們想像的生活。每天都有不認識的人透過電話、email、簡訊和推特跟我連絡；在機場、飯店和餐廳裡，人們走向我、擁抱我，說我以某種方式感動了他們。我真是個蒙福的人，這些年來，我真是幸福得不像話。

我和家人沒有預見到的是，我身體上的障礙——我的「負擔」——也可以成為祝福，給了我獨一無二的機會去幫助他人，理解他們的痛苦，同情他們的遭遇，並帶給他們安慰。沒錯，我是面臨一些不尋常的挑戰，但同時我也受到祝福，擁有可愛的家庭、敏銳的心智，以及深刻恆久的信仰。在這本書裡，我會坦率地讓你知道，其實是在經歷一些可怕的時光後，我的信仰和人生目標意識才逐漸變得堅定。

你知道的，當我進入令人無所適從的尷尬青春期時，我對自己的處境感到絕望，覺得自己永遠也不可能「正常」。很明顯地，我的身體跟同學的不一樣，當我努力嘗試各種別人做來稀鬆平常的活動，例如游泳、滑板時，我只會愈來愈明白一件事：有些事我就是做不來。

而有些殘忍的孩子叫我「怪物」和「外星人」，更是讓情況雪上加霜。我當然只是個普通人，只想和別人一樣，但機會似乎很渺茫。我想要被人接受，但覺得沒人肯接受我；

我想要融入人群，但好像沒辦法。

我撞牆了，覺得很沮喪，被負面的想法徹底淹沒。我的心很痛，即使被家人和朋友包圍，還是覺得孤單。我擔心自己會成爲我所愛的人永遠的包袱，覺得十分絕望，找不到一丁點人生的意義。

我覺得很痛苦，但我眞是大錯特錯。我在當時那些灰暗的日子所不知道的事，竟然可以成爲一本書——喏，就是你現在手上拿的這一本。接下來在本書中，我將提供在艱鉅的試煉和痛徹心扉的磨難中找到希望的方法。在苦難的另一邊，有一條不同的路，會讓你更堅強、更堅定，讓你找到自己想要的人生。我會點出那條路。

如果你有渴望與熱情去做某件事，而這件事出自上帝的意旨，那麼你一定會成功。這句話眞是強而有力，不過老實說，我自己也不太相信就是了。或許你曾在網路上看過我的訪問，那些閃耀著快樂幸福的影像是我人生各種經歷的結果，但一開始的我並非如此，一路走來，我學到了幾項重要特質。要想過一個不設限的人生，我認爲需要：

- 強烈意識到生命的目的
- 不可磨滅的希望
- 對上帝及無限的可能性有信心

・喜愛並接納自己本來的樣子
・態度決定高度
・勇敢的精神
・願意改變
・願意信任的心
・渴望機會
・有評估風險與笑看人生的能耐
・有服事他人的使命

這本書的每一章會提到上述的一項特質，我希望我的說明能幫助你在自己的生命旅程中運用這些特質，活出豐富且有意義的人生。我告訴你這些事，是因爲我想與你分享上帝的愛，希望你體驗到祂要給你的喜樂與滿足。

如果你每天都過得很掙扎，請記住，在我的苦難背後有個遠超乎我想像的人生目的在等著我。

你或許會碰到艱難的時光，或許會倒下，然後覺得自己沒有力量站起來。我懂那種感覺。我們都會碰上那樣的狀況，生命不會一直輕鬆愉快，但是當我們克服挑戰，就會變得

更強壯，也會對於能有那樣的機會更感恩。眞正重要的是你一路上接觸到的人，以及你如何走完你的旅程。

我愛我的生命，如同我愛你的。我們一起努力，可能性就會大得不像話。所以你覺得呢？我們要不要試試看，夥伴？

第一章

如果沒有得到奇蹟，
就成爲一個奇蹟

我有選擇，你也有選擇。我們可以選擇對不足之處念念不忘，可以選擇苦澀、憤怒或悲哀；或者，在面對艱難時刻和那些心懷惡意的人時，我們可以選擇從經驗中學習，然後繼續往前走，為自己的快樂負責。

我在YouTube上最受歡迎的影音，是一段拍攝了我在溜滑板、衝浪、聽音樂、打高爾夫球、跌倒、爬起來、跟聽衆說話，還有跟許多人擁抱等等的影片。

總的來說，這些不過就是一般人也做得到的平常事，不是嗎？那你覺得爲什麼這樣的影片卻可以吸引幾百萬人點閱呢？我認爲，大家之所以想看，是因爲儘管生理上有重重限制，我卻活得似乎完全不受限。

人們總是認爲，身體有嚴重缺陷的人會活得沒什麼生趣，甚至易怒、退縮。因此，當大家發現我竟然過著大膽且充實的生活時，難免感到意外——我就是喜歡讓人吃驚。

我的影片往往有幾百則留言，最典型的如下：看到像他這樣的傢伙都可以這麼快樂，我不禁懷疑我對自己到底有什麼好不爽的？我幹麼覺得自己不夠有魅力、不夠有趣之類的？這個沒有四肢的傢伙活得這麼開心，而我的腦袋竟然會有那些無聊的想法？

我經常被問到這個問題：「力克，你怎麼可以這麼快樂？」你或許正面臨挑戰，所以我就先很快地回答你吧：

我快樂是因爲我了解到，我或許並不完美，但我卻是完美的力克·胡哲！我是上帝照著祂對我的計畫所做的獨特創作。當然，這並不表示我的一切已無須改進，我一直努力讓自己更好，這樣才能更徹底地服事上帝和這個世界。

我確實相信我的生命沒有限制，而不論你的挑戰是什麼，希望你也覺得自己的人生

不受限。當我們一起開始這段旅程時，請先思考一下你爲自己的人生，或者讓別人替你的人生加上的限制。現在再想一想，如果沒有這些限制會怎樣？如果任何事都是可能的，那麼，你的人生會如何？

表面上，我是個失能者，但實際上，我因爲沒有四肢而擁有能力。我個人的獨特挑戰爲我開啓了獨一無二的機會，讓我可以接觸到許多有需要的人。所以，請好好想一想有什麼是你可以做的！

我們實在太常以爲自己不夠聰明、不夠有魅力、不夠有天分，因此無法追求夢想。別人怎麼講我們就怎麼相信，要不然就是自我設限太多。更糟的是，當你覺得自己毫無價值時，就等於限制了上帝在你身上的作爲。

當你放棄夢想，就把上帝框住了。畢竟，你是祂的創造物，祂創造你是有目的的。因此，你的生命不應該受到限制，就像神的愛不受局限一樣。

我有選擇，你也有選擇。我們可以選擇對那些令人失望與不足之處念念不忘，可以選擇苦澀、憤怒或悲哀；或者，在面對艱難時刻和那些對我們心懷惡意的人時，我們可以選擇從經驗中學習，然後繼續往前走，爲自己的快樂負責。

作爲上帝的兒女，你是美好且珍貴的，比這世上所有的鑽石更有價值。你我都是照著我們該有的樣子完美成形，不過，我們的目標應該是不斷努力成爲更好的人，並藉著更遠

大的夢想擴張自己的界限。這一路上有許多需要調整的地方（畢竟人生可不是一直花香常漫），但活著永遠是值得的。我想讓你知道，無論你的環境如何，只要還有一口氣在，你就能做出貢獻。

我沒辦法拍拍你的肩膀給你個保證什麼的，但我可以發自內心真誠地對你說，無論你的人生看起來多麼無望，希望永遠存在；就算情況似乎很糟糕，前方還是會有好日子；無論環境有多險峻，你總能超越這些艱險。期待改變並不能帶來改變，下定決心、此刻就採取行動，才能改變一切。

萬事互相效力，一切最終會有好結果——這點我很確定，因爲我的生命就是如此。沒有四肢的人生有什麼好的？光是看著我，人們就願意傾聽我，讓我分享信仰、告訴大家他們是被愛的，並帶給他們希望。

這就是我的貢獻。認識自己的價值很重要，要知道，你也有些什麼可以貢獻出去。如果你此刻覺得沮喪，那也OK，因爲沮喪感代表你想要一個比現況更豐富的人生，這很好啊。通常生命中的挑戰會讓我們更明白自己眞正應該成爲一個什麼樣的人。

我的出生沒有帶來歡慶喜悅

我花了很長的時間才明白我的境遇對我到底有什麼好處。我媽媽懷我的時候是二十五歲，我是她第一個小孩。她曾經當過助產士和小兒科護士，在產房照顧過好幾百個產婦和小嬰兒，所以知道懷孕時該做些什麼。她很注意飲食、小心用藥，不喝含酒精的飲料，連止痛藥都不服用；她去看最好的醫生，然後大家都跟她說一切會很順利。

不過，我媽媽還是一直擔心；當預產期接近時，她跟我爸爸提了好幾次：「我希望這個小寶貝真的沒事。」

懷孕期間的兩次超音波產檢，醫生都沒發現異狀。他們告訴我父母是個男孩，但提都沒提沒手沒腳這回事。然後到了一九八二年十二月四日，我出生了，媽媽一開始沒看到我，她開口問醫生的第一個問題是：「這小寶貝還好吧？」但現場一片沉默。過了好一會兒，他們還是沒把新生兒帶去給媽媽看，她愈來愈覺得事情一定不對勁。當時，醫護人員沒把我抱去給媽媽，反而召來一位小兒科醫生，大隊人馬移動到產房的另一頭，看著我，然後面面相覷。當媽媽聽到一聲健康嬰兒的哭喊聲時，終於放下心來。然而，在生產過程中早就注意到我少了一隻手的爸爸，卻略感不安，接著被醫護人員帶出產房。

醫護人員看到我時，完全呆掉了，很快把我整個人包了起來。

不過，我媽媽可不會被騙，看到醫護人員苦惱的表情，她知道情況非常糟。

「怎麼回事？我的寶寶怎麼了？」她問。

起先，她的醫生不願回答，但是當我媽媽堅持一定要他給個說法時，醫生不得不用一個醫學名詞來回應：「妳的寶寶有海豹肢症。」

媽媽當過護士，知道這個名詞意味著孩子出生時四肢畸型或四肢不全，她只是無法接受這個事實。

同一時間，我那早已嚇呆的爸爸還待在產房外，一直想知道他所看見的到底是不是他想的那樣。當小兒科醫生出來跟他說話時，他大叫著：「我兒子，他沒有手臂！」

「事實上，」那位小兒科醫生小心翼翼地說，「你的兒子是沒有手臂也沒有腿。」

「什麼？」我爸爸完全無法相信。

在極度的震撼與痛苦中，他有一陣子呆坐不能言語，之後保護妻兒的本能湧現，他衝進產房，想趕在媽媽看到我之前先讓她知道我的狀況。不過他很錯愕地發現，自己的妻子正呆滯地躺在床上哭泣著。原來，醫護人員已經告訴她這個消息，還把我帶到她面前，要她抱抱我，但是媽媽拒絕了，要他們把我帶走。

護士哭了，助產士哭了，當然，我也哭了！最後，他們把我放在媽媽身旁，包得好好

的。我媽媽就是無法忍受她所見到的：她的孩子沒有四肢。

「把他帶走，」她說，「我不想碰他或看到他。」

直到今天，對於當初醫護人員沒有給他時間，讓他幫助我媽媽準備好面對一切，爸爸還是覺得很不高興。過了一會兒，媽媽睡了，爸爸到育嬰室看我，然後回去跟媽媽說：「他很好看呢。」他問媽媽要不要去看一下，她說不要，因爲她還處於震驚的狀態。爸爸充分理解，也尊重她的感受。

我的出生沒有帶來歡慶喜悅，父母和整個教會反而悲哀以對。「如果上帝是個有愛的上帝，」他們不解，「祂怎麼會讓這種事發生？」

我苦，有人比我更苦

我是父母第一個小孩，在任何家庭，這都是值得慶賀欣喜的事，然而我出生時，沒人送花給我媽媽。這讓她覺得受傷，也陷入更深的絕望。

她含著淚問我爸爸：「難道我就不值得擁有一束花嗎？」

「對不起，」爸爸說，「妳當然值得啊。」他去醫院的花店，很快捧回一束花給她。

此情此景，我自然一無所悉，直到十三歲左右，因爲我問父母當年他們看到我沒有四肢時，最初的反應是什麼，我才知道這一切。有一天，我跟媽媽說起在學校過得好慘，還跟她說我很討厭自己沒手沒腳，結果媽媽跟我哭成一團。媽媽告訴我，她和爸爸已經明白上帝對我有個特別計畫，有一天，祂會顯明那個計畫。我一直不斷地問問題，有些問題出於我個人的好奇心，有些則是爲了應付我那些沒完沒了的好奇寶寶同學們。

一開始，我有點害怕爸媽會告訴我什麼，而且因爲有些問題對他們來說也難以探究，我不想讓他們難堪。起初，爸爸、媽媽回答得很謹慎，想要保護我；當我漸漸長大、問得更多時，他們開始更深入地談到自己的感受和恐懼，因爲他們知道我已能承受。儘管如此，當媽媽提到我出生時她不想抱我，再怎麼說，還是讓我很難受。我已經夠不安了，結果還聽到自己的母親說她連看我一眼都沒辦法……那種感受，你自己想像一下吧。

那當下我很受傷，覺得自己被排斥了，但接著我想到父母從那時開始爲我付出的一切，他們已經多次證明對我的愛。在我們聊這些事情的時候，我已經夠大了，可以設身處地爲媽媽想。關於我的狀況，除了她自己的直覺之外，懷孕過程中沒有任何人預先警告過，因此可以想像當時的她會有多震驚、多害怕。如果我爲人父母，面對這樣的狀況會有什麼反應？我不確定自己是不是可以處理得跟他們一樣好。我把這個想法跟爸媽說，而隨著時間過去，我們的談話也愈來愈深入。

我很高興我們一直等到我有了足夠的安全感，打從心底明白父母的愛，才開始更深入地探索這些事情。近幾年來，我們探究彼此的感受和恐懼，父母幫助我理解他們最初的反應，也讓我知道信仰如何帶領他們明白我的人生注定要遵從上帝的旨意。我是個意志非常堅定，而且大部分時間都很樂觀的孩子，我的老師、別的家長和陌生人常常跟我父母說，我的態度激勵了他們。其實我是了解到，儘管我面對的挑戰十分艱鉅，但很多人的人生包袱卻比我沉重。

今天，當我在世界各地旅行時，常會看到人們遭遇的各種磨難。我見過生重病的孤兒、被強迫賣淫的少女、窮到沒錢還債而坐牢的男人等等，這讓我對自己擁有的一切心懷感激，比較不會一直去注意我所缺乏的。

苦難到處可見，而且常常是令人不可置信地殘酷；然而，即使在最糟糕的貧民窟和最可怕的悲劇裡，我還是看到人們不只是活著，而且從中成長茁壯，這讓我覺得振奮。埃及首都開羅郊外有個叫「垃圾城」的地方，那是最爛的貧民窟，但我在這裡卻找到了歡樂。瑪西耶特那塞地區位於一座高聳的懸崖邊，有五萬個居民，「垃圾城」這個可悲卻眞實的綽號及社區裡的沖天臭氣，來自大多數居民賴以爲生的工作：收集垃圾。他們每天都會去翻遍開羅，把垃圾拖回來，然後在裡面挑挑揀揀。他們在開羅一千八百萬居民製造出來的幾座山一般的垃圾堆裡翻找、分類，希望從中挑出可以變賣、回收或再利用的東西。

那裡的街道滿是廢棄物堆、豬圈和發臭的垃圾，這種情景會讓你以為那裡的人肯定活在絕望中，然而二〇〇九年我到垃圾城去，卻看到完全相反的情況。那裡的生活當然很艱苦，但我碰到的人卻很有愛心，充滿單純的喜樂，而且信心滿滿。埃及人民有九成是穆斯林，垃圾城是唯一以基督徒為主的地區，有將近百分之九十八的居民是科普特基督徒。

我去過世界各地最窮苦的貧民窟，垃圾城的環境算是最差的，但那裡也是最溫暖人心的地方。我和大約一百五十個人擠在一棟很小的水泥建築裡，那是他們的教會。當我開始演講時，聽眾向我散發出單純的喜樂，讓我很感動。我的人生極少如此充滿祝福。當我告訴他們耶穌如何改變我的生命時，也感謝他們因為有信仰而得以超越環境。

教會領袖跟我談到上帝的力量如何改變當地居民的生命。他們的盼望並不在這個地上生命，而是在永生；與此同時，他們仍然相信奇蹟，並對上帝的存在與作為充滿感恩。離開前，我們送給幾個家庭一些米、茶和足夠他們買幾個禮拜食物的少量現金，也送給孩子們一些體育用品、足球和跳繩，他們馬上邀請我們的團隊一起玩球。儘管周遭一片髒亂，我們仍然歡笑連連，彼此都玩得很開心。我永遠不會忘記那些孩子和他們的笑容，他們再次向我證明，只要全然信靠上帝，無論處於什麼樣的環境，都能過得快樂。

這些赤貧的孩子怎麼還笑得出來？囚徒怎能歡唱？他們之所以能超越環境，是因為知道某些狀況超出他們的理解與控制，因此他們把焦點放在自己可以理解與掌控的事物上。

我的父母也是這樣做的。他們決定信靠上帝的話語，繼續往前走——上帝說：「萬事都互相效力，叫愛神的人得益處，就是按祂旨意被召的人。」（❶）

移民美國行不通

我爸媽都出生於南斯拉夫的虔誠基督教家庭——那個地方現在叫作塞爾維亞。因爲共產黨的鎮壓，他們年輕時就分別跟著家人移民到澳洲。他們的父母都隸屬使徒基督教派，有不帶武器的教條。共產黨因信仰迫害他們，他們只能祕密聚會。而因爲拒絕加入共產黨，他們的經濟狀況非常窘迫（共產黨把持了生活的各個面向），所以爸爸小時候經常挨餓。

二次大戰後，我爸媽的家族都加入當時成千上萬塞爾維亞基督徒的海外移民行動，移民地點包括澳洲、美國和加拿大等。我爸媽的家庭決定移民到澳洲，好讓兒孫擁有信仰自由；家族其他成員則移民到美國和加拿大，這也是爲什麼我在這些國家也有許多親戚。

我的爸媽在墨爾本的某個教會相遇。我媽媽，杜許卡，當時是護校的二年級生；我爸爸，鮑里斯，則從事管理與會計工作，正職之外，他後來成爲一位帶職牧師（❷）。在我差

不多七歲時，爸媽考量到裝設義肢和照顧行動不便的我的醫療需求，決定移民美國。

我叔叔貝塔．胡哲在靠近洛杉磯的阿格拉丘經營營造及物業管理公司，貝塔叔叔常跟我爸爸說，只要爸爸能取得工作簽證，他就可以給他一份工作。洛杉磯附近有一個很大的塞爾維亞裔基督徒社區，社區裡有幾個教會，對我父母來說，這裡的確滿有吸引力的。雖然爸爸知道申請工作簽證是個冗長的過程，但他還是決定申請，同時我們也舉家北遷到昆士蘭的布里斯班，因爲那裡的氣候對我比較好——除了身體有一堆問題，我還有過敏的毛病。

差不多在我十歲、小學四年級的時候，移民美國的時機成熟了，因爲爸媽認爲弟弟亞倫、妹妹蜜雪兒和我的年齡應該可以融入美國的學校體系。我們在昆士蘭等待爸爸的三年工作簽證核發下來，等了十八個月，我們終於起程了。

不幸的是，在加州的生活不算順利，理由有幾個。離開澳洲時，我已經開始上六年級，而在洛杉磯郊區的新學校學生很多，他們只能安排我進入高級班，這個班級所上的課程跟正規班不同，而且很難。我一直是個好學生，但到了美國之後，我得費好大的勁兒去適應學習上的變化。因爲學校時程不同，我在加州算是進度落後，所以追趕得非常辛苦。上了國中，不同的科目還要換不同教室上課，跟澳洲不一樣，這也增加了我適應上的難度。

我們搬去跟貝塔叔叔、麗塔嬸嬸和他們的六個小孩一起住，儘管他們在阿格拉丘的房子很大，生活空間還是十分擁擠。我們打算儘快有個自己的家，不過美國的房價比澳洲貴多了。爸爸在貝塔叔叔的公司工作，媽媽則沒有繼續當護士，因為她並未取得加州的護士執照，而她之所以沒去申請，是因為她認為應該花更多時間幫助我們適應新學校和新環境。

與貝塔叔叔一家人生活三個月之後，爸媽覺得移民美國不大行得通。我在學校過得很辛苦，要安排我的健康保險也有困難，而為了照顧我們，媽媽得當個全職主婦，但因為加州的生活費用很高，靠爸爸的一份薪水很難過日子。另外，我們也擔心可能無法取得美國的永久居留權。有個律師說，我的健康狀況可能會增加取得居留權的難度，因為我們家能不能應付龐大的醫療支出和照護費用是很令人懷疑的。

在眾多考量之下，在美國僅僅生活了四個月後，爸媽就決定搬回布里斯班了，他們甚至在之前住的同一條巷子裡找到房子，所以搬回來之後，我們幾個小孩可以回到原來的學校和朋友圈。爸爸在「科技與未來教育學院」教資訊與管理，媽媽則將她的生命奉獻給了我們三兄妹，不過主要還是我。

充滿挑戰的童年

我剛來到這個世界時，媽媽害怕自己無力照顧我，爸爸則擔心我前途坎坷，不曉得將來會過什麼樣的日子。他們思考過幾種選擇，甚至包括放棄我，送給別人收養，但最後認定全力扶養我是他們的責任。

他們哀傷過，然後試著盡量把我這個身體有障礙的兒子當個「正常」孩子來養。我父母擁有堅定的信心，他們總是想著，上帝給了他們這樣一個孩子，肯定有理由。

受傷後如果能多動一動，有些傷口會復元得比較快，人生的挫敗也是如此。你或許失業了、結束一段親密關係，或是帳單堆積如山，但不要讓你的人生停留在這裡，好讓你一直想著過去的傷痛，反而要尋找前進的方法。也許前面有更好、更能讓你發揮所長並獲得回報的工作等著你；也許你的親密關係需要「改組」，或者還有更適合你的人；也許財務上的困難會刺激你用更具創意的方式節省開支、累積財富。

人生的遭遇難以控制，有些事情不是你的錯，也不是你可以阻止的。你能選擇的不是放棄，就是繼續努力爭取更好的生活。我希望你知道，事情會發生總有理由，而最後，結果會是好的。

年紀還小的時候，我想當然地認為自己是個可人兒，就像世上任何一個迷人的可愛小孩——我的天眞無知在那個年齡眞是個福氣。我並不知道自己跟別人不同，也不知道人生路上有各種挑戰等著我，我甚至不認為我們會被賦予處理不來的事。我向你保證，每一個你自認無能為力之處，其實都有祝福，裡頭有著足夠的能力，帶你度過挑戰。

上帝也為我配備了驚人的決心和其他恩賜。很快地，我證明了即使沒有手腳，我依然行動敏捷，並具備良好的協調性。我整個人只有軀幹，但也像個小男嬰，是個滾動、到處衝撞的危險人物。我學著讓身體直立，方法是用前額頂住牆面，然後使勁向上移動。長久以來，爸媽試著教我各種比較舒服的方法，但我總堅持要自己解決問題。

媽媽試著在地板上放軟墊，這樣我就可以用墊子撐住自己，再爬起來。不過基於某些理由，我還是決定用額頭抵住牆壁，再一吋一吋地立起身子。用自己的方法起身雖然很困難，但現在也成了我的註冊商標囉！

早年，善用我這顆頭是我唯一的選擇，這讓我在頭腦發達（開玩笑啦！）之餘，也賦予我的脖子如印度聖牛般的力量，還讓我的額頭硬如子彈。

當然，我的父母常常為我擔心。其實就算孩子四肢健全，為人父母也是一個充滿驚嚇的體驗。新手父母常開玩笑說，希望孩子出生時能附上使用手冊，但就算史波克醫師（❸）的暢銷書也沒有任何一章談到該怎麼帶我這種嬰兒。不過，我還是頑強地長大了，愈來愈

健康，膽子也愈來愈大；到了「貓狗都嫌」的兩歲階段，我給爸媽帶來的恐怖經驗，就比一組八胞胎還多了。

他要怎麼吃東西？他要如何上學？如果我們發生了什麼事，誰來照顧他？他要怎麼獨立生活？

人類的推理能力可以是個祝福，也可以是個咒詛。你可能也像我父母一樣，想到未來就苦惱、發愁。不過，事情通常不會如我們想像的那麼嚴重。未雨綢繆沒什麼不好，但你要知道，最可怕的夢魘可能變成最棒的驚喜，人生很多事的最後結果，經常是美好的。

我童年最棒的驚喜之一，是學會掌控我那隻小小的左腳。起先，我出於本能地用它來滾、踢、推和撐住自己，但爸媽和醫生認爲這隻便利小左腳應該可以發揮更大的作用。我的小左腳有兩個趾頭，不過我出生時它們就黏在一起，而爸媽和醫生認爲動個小手術分開這兩個趾頭，會讓它們使用起來更像手指，可以做些握筆、翻頁之類的事。

當時我們住在澳洲的墨爾本，這裡可以提供某些這個國家最棒的醫療照護，但我帶來的挑戰超過大部分醫護人員所受的訓練。當醫生準備爲我的腳動手術時，媽媽提醒他們，我大部分時間都在發燒，一定要特別提防我身體過熱的狀況。她知道有另一個沒有四肢的孩子在手術時因爲體溫過高引發腦部癲癇，而留下腦傷的後遺症。

因爲我的身體常常會自動發熱，所以我家很流行一句話：「當力克覺得冷的時候，鴨

子都凍僵了。」這可不是開玩笑，如果我運動得太厲害、壓力大，或者在炙熱的光線下待太久，我的體溫會上升到危急狀態，所以我必須一直提防自己別被融化了。

「請小心監控他的體溫。」媽媽提醒醫療團隊。儘管知道我媽是護士，醫生們還是沒把她的話當一回事。我腳趾的分割手術很成功，但媽媽警告過的事還是發生了。離開手術室時，我全身濕透，因爲醫護人員沒有採取任何預防我體溫過熱的措施，因此當他們猛然發現我體溫失控時，就趕緊用濕毯子包住我，想讓我冷卻下來，甚至用好幾桶冰塊降溫，以防我發生癲癇。

媽媽氣炸了，醫生確確實實地感受到我媽杜許卡的憤怒！

不過，當我冷靜下來（眞的是「冷」靜下來哦），我的生活品質的確因爲兩個腳趾頭分開而提升了。它們沒辦法像醫生期望的那麼好用，但我會調適。對一個沒手沒腿的小夥子來說，這麼一隻小腳和兩個趾頭就非常管用了。這個手術加上新科技，使我得以操作量身訂做的電動輪椅、電腦和手機，行動更加自由。

我不知道你的重擔是什麼，也不會假裝自己碰過類似的難關，但看看我父母在我出生時所經歷的，想像一下他們當時的感受吧。對他們來說，未來是多麼淒涼無望啊。

或許你目前正處於黑暗的隧道中，看不到盡頭的光明，但你知道嗎？當年我父母也無

法想像有一天我會過著如此美妙的人生。他們當時一定不知道，兒子不但可以自給自足，而且過著快樂、充實、喜悅且有目標的生活。

我父母最害怕的事，其實大部分都沒發生。養育我當然不容易，但我相信他們會告訴你，即使經歷種種挑戰，我們的生活還是充滿歡笑與喜樂。總的來說，我的童年生活很正常，很愛折磨弟弟亞倫和老妹蜜雪兒，就像大部分的哥哥一樣。

你現在的生活或許一團亂，不知道明天是否會更好，但我要告訴你，只要拒絕放棄，就會有超乎想像的美好在前方等著你。請把焦點放在你的夢想上，盡你所能去逐夢；你有改變環境的力量，所以就去追求你眞心的渴望吧，無論那是什麼。

我的人生是個還在書寫中的冒險——你的也是。現在就開始書寫你生命的第一章，用冒險、愛和快樂塡滿它，並好好活出你所寫的人生故事。

我不必變得「正常」，只要作「我自己」

我承認，有好長一段時間，我根本不相信我有能耐左右自己故事的結果。我努力想知道自己能爲這個世界帶來什麼改變，或者自己該走上哪一條路。在成長過程中，我確信這

副畸短身量占不到什麼便宜。沒錯，我是不會因為還沒洗手就不准上餐桌，也永遠不會因為踢到腳趾頭而痛得半死，但這少數幾種好處似乎無法給我太多安慰。

我弟妹和那些瘋狂的堂兄弟姊妹永遠不會讓我陷入自憐狀態。他們不會寵我，而是照我本來的樣子接納我，但也會耍我、整我，讓我變得堅強，這樣我才能在自己的境況中保持幽默感，而不是沉溺於苦澀。

我的堂兄弟姊妹會在大賣場指著我大叫：「看看那個坐在輪椅上的小孩，他是個外星人耶！」然後我們會看著陌生人莫名所以的反應，一起笑得歇斯底里。這些路人不知道這個肢障孩子跟那些對著他指指點點的小孩，根本是同一國的。

年紀愈大我愈了解到，可以被這樣愛著，是個多麼棒的禮物。或許有時你會覺得孤單，但你要知道，你也是被愛著的，而且上帝創造你就是出於愛，所以你永遠不會是孤單一人。當你感到孤獨、沮喪時，請提醒自己，上帝對你的愛是無條件的，祂永遠都愛你。要記住，那些感覺就只是感覺，它們不是眞的，但上帝的愛是眞實的，祂創造了你，就是爲了證明祂的愛。

在內心深處持有上帝的愛是非常重要的，因爲你有時會很脆弱。我的大家庭不可能永遠保護我，一旦去上學，我與衆不同的樣子就無所遁形了。雖然爸爸向我保證，上帝在創造時從不失手，但有時我也難免會想，我該不會就是那個例外吧？

我問上帝：「爲什麼祢不能給我一隻手？想想看，有了一隻手，我能做多少事啊！」

我相信你也曾經禱告或祈求生命出現某種戲劇性的轉變。如果此刻你所期望的奇蹟還沒出現，或者願望尚未實現，你無須焦慮——請記住：天助自助者。要不要繼續發揮所長，努力追求人生的最高目的和夢想，完全取決於你。

長久以來我一直在想，假如我的身體可以「正常」一點，那人生可就輕鬆多了。但我不了解的是，我不必變得「正常」，我只要作「我自己」，作我爸爸的小孩，實現上帝的計畫就可以了。剛開始，我不願正視這個事實：錯的並不是我的身體，而是我對自己的人生設限，因而限制了我的視野，看不到生命的種種可能。

如果你還沒走到你想要的境界，或是還沒實現自己的希望，主要原因很可能出在你身上，而不是你的周遭。負起責任、採取行動吧。然而首先，你必須相信自己、相信自己的價值，不能躲起來枯等別人發現你，也不能坐等奇蹟或「時來運轉」。請想像世界是一鍋熱湯，而你是一支棍棒——攪動起來吧！

當我還是個小男孩時，我的睡前禱告常常是祈求有四肢。我會哭著上床，然後期待第二天一早起來身上就奇蹟似地出現手和腳——當然，這種奇蹟永遠沒發生。而因爲無法接受自己，第二天去上學時我就發現，要讓別人接納我，也很困難。

就像大部分的孩子一樣，十二、三歲以前的我比較容易受到傷害，這個年紀的小孩總

是在煩惱自己是誰、未來在哪裡、如何融入周遭生活。那些傷害我的孩子不是存心使壞，只是個性大剌剌罷了。

「你爲什麼沒手沒腳啊？」他們會這麼問。

我像其他同學一樣渴望融入人群。心情愉快時，我用機智、風趣讓大家服氣，開自己玩笑、在操場上把身體甩來甩去；難受時，我會躲在樹叢後面或空蕩蕩的教室裡，免得被人傷害或嘲弄。問題有一部分出在我和成年人及堂哥堂姊相處的時間，比和同齡小孩多，所以觀點較成熟，而我那些比較嚴肅的念頭，有時會讓我變得悲觀、陰鬱。

永遠不會有女孩愛上我，我甚至無法牽女朋友的手。如果我有小孩，我也永遠沒辦法抱他們。我能做什麼工作？誰會雇用我？對大部分的工作來說，雇用我等於還得雇用第二個人來協助我做我該做的事——誰會用兩份薪水請人來做一人份的工作？

我面對的挑戰主要是生理上的，但很顯然，這也影響了我的情緒。我小時候經歷過一段可怕的沮喪期，接著，當我進入青春期，我逐漸被接受——首先是我自己接受自己，然後是他人的接納。對此，我總是感到驚訝與感謝。

每個人都經歷過被排斥、孤立、得不到愛的感覺，都會有不安。大多數孩子擔心自己因爲鼻子太大或頭髮太捲而被人嘲笑，大人則擔心無法支付帳單，或者不能達到期望。

你會有懷疑、害怕的時刻。我們都有。情緒低落是很自然的，是人就會這樣，但如果你讓這類負面感受逡巡不去，而不是不動於心，那就危險了。

當你相信自己擁有可以與人分享的恩賜——你的天賦、知識和愛——就會展開自我接納的旅程，即使你的才能還不是那麼明顯。一旦你開始以這樣的姿態行走人生，其他人會發現你，並且與你同行。

走出角落，主動接近他人

在試著與同學接觸時，我找到了那條通往人生目標的路。如果你也曾是那個躲在角落、自己一個人吃午餐的「新同學」，我相信你一定能夠了解，坐在輪椅上只會讓這整件事更難熬。我們從墨爾本搬到布里斯班、到美國，然後又回到布里斯班，這些遷徙過程帶來新的挑戰，迫使我必須不斷調適。

每到一處，通常我的新同學都會假設我的腦袋跟身體一樣有障礙，除非我鼓起勇氣，主動在午餐時間或在走廊上找同學說話，否則他們就會跟我保持距離。我愈是去接近他們，大家就愈能接受我，而不會把我當成天外飛來的外星人。

你看，上帝有時也希望你能幫忙擺脫重擔。你可以渴望、可以夢想，但你也必須針對這些渴望和夢想採取行動，盡可能地伸展自己、超越現狀，以到達你想去的地方。我希望學校裡的人知道我的內在世界和他們是一樣的，那我就必須走出我的舒適區，讓他們了解我。「走出去」接觸他人這件事帶來了很棒的回報。

我跟同學之間會討論到，我如何在這個其實是爲有手有腳的人設計的世界生活，而這些談話讓我後來有機會到學生社團、教會青年團體和其他青少年組織等地方演講。有一件對生活很重要的事，學校卻沒教：我們每個人都有某項恩賜，如某種才能、技藝、手藝、讓人開心或投入的本領等等，而通往快樂的路常常就在那份恩賜之中。

如果你還在尋找容身之處、還在試著弄清楚哪些事物可以滿足你，我建議你先做個自我評量：拿出紙筆或坐在電腦前，寫下你最喜歡的活動。你會被什麼樣的事吸引？你的時間都花在哪些事情上？什麼事會讓你花上大把時間，忙到天昏地暗，卻還是想要一做再做？接著思考一下，別人在你身上看到了什麼？有沒有人誇獎過你，說你有組織或分析的才能？如果你不是很確定別人看到了你的什麼特質，不妨問問家人和朋友，你最擅長的是什麼。

這些都是找到人生之路的線索，而這條路就隱藏在你之內。我們全都一無所有卻充滿希望地來到這個世界，人生路上有許多等著被打開的禮物。當你發現某件事能讓你投入，

就算沒有報酬，你也願意做上一整天，天天做也行，這就是了；而如果有人願意付錢讓你做這件事，那你就有個事業了。

一開始，我對其他年輕人所進行的非正式小型演講是我接觸他們的方式，好讓大家知道我就跟他們一樣。我把注意力放在自己之內，並對於有機會分享我的世界並與人產生連結充滿感恩。我知道演講對我的意義，但是要過一陣子之後，我才明白我要說的可能會給其他人帶來衝擊。

原來我的演講可以幫助人

有一天，我對著大約三百名青少年演講，那大概是聽衆最多的一次。正當我在分享自己的感受和信仰時，發生了一件奇妙的事。通常當我談到我面對的挑戰時，偶爾會有學生或老師流淚，但那一次，有位女孩竟然崩潰到大哭。我不太確定到底發生了什麼事——我該不會觸動她某段糟糕的回憶吧？但儘管悲傷流淚，這個女孩依然鼓起勇氣舉手發問，說她可不可以到前面來擁抱我。哇，我好驚訝。

我邀請她上來，她擦乾眼淚走到臺前，給了我一個超大的擁抱，是我這輩子最棒的

擁抱之一。這個時候，屋子裡的所有人幾乎都熱淚盈眶，包括我自己。她在我耳邊輕聲地說：

「從來沒人告訴過我，我這個樣子就很漂亮；沒有人說過他愛我。你改變了我的生命，而且，你也是個漂亮的人。」

在那之前，我還是常常懷疑自己的價值，覺得我不過就是把這種小小的演講當作接觸其他青少年的管道而已。然而這個女孩竟然說我「漂亮」（而且並無惡意），最重要的是，她是第一個讓我隱約感覺到，我的演講可以幫助別人；這女孩改變了我看事情的觀點。「或許我眞的有些什麼可以貢獻出來。」我心想。

類似這樣的經驗讓我了解到，我的與衆不同正好可以讓我對這個世界有特殊貢獻。我發現別人願意聽我演講是因爲，他們只要看著我，就知道我經歷並克服過什麼樣的困難。人們直覺地就認爲我應該可以說些什麼，來幫助他們度過自己的難關——在這方面，我還算有說服力。

上帝透過我進入不計其數的學校、教會、監獄、孤兒院、醫院、體育館和會議廳，接觸到許多人。更棒的是，我曾經面對面擁抱過數以千計的朋友，讓他們知道自己有多珍貴。同時，我也很開心可以告訴他們，上帝對每個人的生命的確有所計畫。上帝使用我這個奇特的身體，並讓我具備振奮人心、鼓動心靈的能力，就像祂在《聖經》裡說的：「我

知道我向你們所懷的意念是賜平安的意念，不是降災禍的意念，要叫你們末後有指望。」

（❹）

要不要站起來，完全操之在你

無疑地，人生看來很殘酷，有時衰事連連，讓你看不到出路。你可能很想相信雨過終會天青，但就是很難說服自己事情眞的會如此。

事實上，你我這樣的凡人，視野很有限，根本看不清楚前頭有什麼——這是壞消息，也是好消息。我想告訴你的是，未來可能遠比你所能想像的還要好，但是要不要忘掉不愉快的事，站起來好好表現，完全操之在你。

無論你是想讓生命好上加好，或者你的人生糟到你只想賴在床上什麼都不做，從這一刻之後，所發生的一切都取決於你和那位造物主。是的，你無法控制一切，有時好人也會遇上壞事，出生的命不好或許對你有些不公平，但如果這是你所處的現實，你就得面對它。

你可能走得跌跌撞撞，別人或許會懷疑你。當我選擇以演講爲業時，連我爸媽都質疑

我的決定。

「你不覺得自己開業從事會計工作，會比較適合你的狀況，也能讓你有個比較好的未來嗎？」爸爸問道。

沒錯，從許多方面來看，選擇會計業確實比較合理，畢竟我的數字能力十分出色，不過從很早開始，我就十分熱切地想與人分享對於更美好人生的信仰與盼望。當你找到生命眞正的目標，熱情隨之產生，你就會爲了追求這個目標而活。

如果你還在找尋人生道路，你要知道，出現挫折感是很正常的。這是一場馬拉松，不是短距離賽跑。你渴望活得更有意義，就表示你還在成長，還在超越極限、發展自己的天賦才能。時時檢視自己身在何處，並思考自己的行動和優先順序是否符合你的最高目標，是很健康的做法。

一個同樣沒手沒腳的小男孩

十五歲那年，我與上帝和好，懇求祂的寬恕與帶領，請祂爲我照亮通往人生目標的路。受洗四年之後，我開始演講，與許多人分享我的信仰，這時我知道，我已經找到自己的天職。我的演講和傳福音工作逐漸國際化，就在幾年前，發生了一件令我意想不到的事，振奮了我的心，也讓我更確信自己選擇了正確的路。

某個尋常的禮拜天上午，我走進加州一家教會準備演講。我常在世界許多遙遠的角落演講，但這次很靠近家，諾特街教會就在我家那條路上。

聚會開始了，我坐上輪椅，詩班開始獻詩，而我往前頭坐，準備開始演講。會衆陸續湧入這個大教堂，這是我第一次對諾特街的人演講，我想他們應該也不太認識我，但我很驚訝地在詩班的歌聲中聽到有人喊著我的名字：「力克，力克！」

我認不出那個聲音，甚至不確定我就是那個「力克」。當我轉身時，看見一位年老的男士對我揮手。

「力克，這裡啦！」他再次喊著。

在擠滿人的教堂裡引起我的注意力之後，他指向身旁一位較年輕的男子，那名男子手

上顯然抱著一個小孩。因爲人群擁擠，起初我只看到那個學步中的孩子明亮的雙眼、濃密閃亮的棕髮，以及笑臉上露出的大牙縫。

然後年輕男子把孩子舉高，好讓我看得更清楚。完整地看到那孩子之後，一陣強烈的感覺流過我，讓我兩條腿幾乎站不住（如果我有腿的話）。

那個雙眼明亮的男孩跟我一樣，沒有手，沒有腳，只有一隻小小的左腳掌，這也跟我一樣。雖然只有十九個月大，但他完全就像我，於是我明白爲什麼那兩個男人急著找我。稍後我得知那個男孩叫丹尼爾·馬丁尼茲，是克里斯和派蒂的兒子。

那時我本來應該在準備演講，但是看到丹尼爾——看到那孩子身上的我——觸動了令人暈眩的感受，讓我難以思考。一開始，我對他和他的家人心生憐憫，但尖銳的記憶與痛苦的情緒接著向我襲來，彷彿我又被帶回自己在那個年紀所感受到的一切。我知道丹尼爾一定也經歷過同樣的事。

「我知道他的感覺，」我想著，「我已經體驗過他即將經歷的。」

看著丹尼爾，我感受到一股奇妙的連結，湧起了同理心。不安、挫折、孤獨等等過往的感受淹沒了我，讓我窒息，我覺得自己快被講臺上的燈光烤焦了，頭昏眼花。那並不是恐慌，而是眼前這個男孩觸動了我內在的孩子。

然後我突然靈光乍現，並感受到平靜安穩。我心想：「在成長過程中，我從來沒有遇

見過跟我有同樣處境的人，好給我指引，但現在尼丹爾有了。我可以幫助他，而我的父母可以幫助他的父母。他不必經歷我所經歷的，或許我可以讓他少受一些我受過的苦。」沒有四肢的人生有多辛苦，我當然清楚，但我的生命仍然具有可以與人分享的價值。我所缺乏的無法阻止我在這個世界引起一些改變。我喜歡激勵別人、給人勇氣，或許我無法如願改變這個世界太多，但我依然確定自己的生命沒有被浪費。我下定決心要有所貢獻，你也應該相信自己有這樣的力量。

人生沒有意義就沒有希望，沒有希望就沒有信心。如果你找到貢獻一己之力的方式，就能找到生命的意義，接著希望與信心自然來到，並陪伴你走向未來。

我到諾特街教會本來是爲了鼓舞別人，雖然一開始見到一個跟我如此相像的小男孩出現在人群中，讓我心神大亂，但他讓我再次確認我可以改變許多人的生命，特別是那些遭遇巨大挑戰的人，例如丹尼爾與他的父母。

這次的碰面實在太讓我震撼了，我必須和那天的會眾分享我的所見所思，因此我請丹尼爾的父母將他帶上臺來。

「生命沒有巧合，」我說道，「每次呼吸、每個步伐，都是上帝的旨意。這個房間裡有另一個男孩同樣沒手沒腳，這並不是巧合。」

丹尼爾在我說話時開心地笑了起來，吸引住教堂裡每個人的目光。當丹尼爾的父親

扶著他，讓他直立地和我並排在一起時，會衆陷入沉默。有著共同困境的年輕男子和小嬰孩，他們正彼此微笑相對，此情此景讓教堂裡出現了啜泣和吸鼻水的聲音。

我不是很容易哭，但是當周圍的人都涕泗縱橫時，我也忍不住流下淚來。記得那晚回到家，我不發一語，一直想著那個小男孩，想著他一定也體會到了我在那個年紀曾有過的感受。我還想到，當他慢慢意識到自己的狀況、當他遇到我經歷過的殘酷行爲和排斥時，會有什麼感覺。我爲他可能會承受的痛苦感到難過，但後來想到我和我的父母可以幫助他減輕負擔，甚至爲他帶來希望，就覺得很振奮。

我等不及要告訴爸媽這件事，因爲我知道他們一定也很想認識這個男孩，爲他和他的父母帶來希望。爸爸和媽媽在沒有任何指引的狀況下經歷了許多事，我知道他們會非常感謝能有機會幫助這個家庭。

上帝眞的對我有所計畫

這眞是超現實、令人驚奇的一刻。我說不出話來（這很罕見），而當丹尼爾抬頭看著我時，我的心都融化了。我想起我小時候從沒見過像自己這樣的人，所以很想知道不是只

有我這樣，很想知道我和地球上的其他人並無不同。我覺得沒有人可以理解我所經歷的，也沒人能體會我的痛苦或孤獨。

回想起小時候，當我知道自己跟別人眞的很不一樣時，我承受了極大的痛苦；當別人嘲笑我、躲開我時，痛苦更上層樓。然而此刻與丹尼爾在一起，我感受到上帝無限的仁慈、榮光和力量，而跟這些仁慈、榮光和力量相比，我所受的痛苦根本不算什麼。

我當然不希望自己生理上的障礙出現在任何人身上，所以我爲丹尼爾感到悲傷。然而我也明白，上帝把這個小男孩帶來給我，是爲了讓我減輕他的負擔。上帝彷彿對我眨了眨眼，說：「看到沒？我對你眞的有所計畫啦。」

我受到鼓舞

當然不是每件事我都有答案。我不知道你所面對的特定痛苦或難關；我缺手少腳地來到這個世界，卻從未體驗過被虐待或忽視的感受；我不必應付家庭破碎的問題，從未失去雙親或手足。有很多更糟糕的事，我都沒經歷過，我確定我在很多方面都比許多人如意。

當我看見丹尼爾在教堂的人群之中被舉起，那眞是改變我生命的一刻，因爲我知道自

己已成為那個我所祈求的奇蹟。上帝沒有給我那樣的奇蹟，但祂把我變成奇蹟，給了丹尼爾。

遇見丹尼爾時，我二十四歲。那天稍晚，他的媽媽派蒂抱住我，說自己彷彿走進未來，擁抱著已經長大的兒子。

「你一定不知道，我一直向上帝禱告，請祂給我一個神蹟，讓我知道祂沒有忘了我和我的兒子。」她說著，「你是奇蹟，你就是我們的奇蹟。」

那一天，我爸媽正在從澳洲往美國的路上，那是他們在我前一年移居美國後第一次來訪。幾天後，爸媽和丹尼爾及他的父母見了面——你應該想像得到，他們有聊不完的話題。

克里斯和派蒂認為我是丹尼爾的祝福，但我爸媽才是他們更大的祝福。誰比我爸媽更適合指引他們如何養育一個沒手沒腳的孩子？我們能為丹尼爾的家人帶來的不只是希望，更是明確的證據，證明丹尼爾可以過相當正常的生活，而且他也會找到注定要與人分享的福分。

我們很有福氣，可以跟他們分享經驗，鼓舞他們，向他們證明沒有四肢依然可以活得毫不受限。

同時，精力充沛的丹尼爾也是我的祝福，因著他所擁有的能量和喜悅，他帶給我的遠

遠超過我給他的。這是另一個完全在我意料之外的回報。

奉獻自己，會得到最大的回報

因爲生病，海倫·凱勒在兩歲前就失去視力和聽力，但她很努力，成了世界知名的作家、演說家和社會運動者。這位偉大的女性曾說，眞正的快樂來自「忠於一個有價值的目標」。

這句話是什麼意思？對我來說，這意味著忠於自己的天賦，讓天賦發展，並和他人分享，然後從中獲得喜悅；也意味著不再追求自我滿足，而是去追尋意義與圓滿。

當你奉獻出自己，會得到最大的回報。這表示要去改善別人的生活、參與某件無私的事、創造正向的改變。你不必成爲德蕾莎修女才能做到這些，就算你是個「殘缺的人」，都可以產生影響力。請看這位在「沒有四肢的人生」網站上留言的年輕女孩怎麼說吧。

親愛的力克：

哇，我不知道怎麼開場耶，我想還是從自我介紹開始好了。我今年十六歲，

之所以寫信給你，是因爲你的DVD《我和世界不一樣》爲我的人生和復元帶來極大的影響。我說的「復元」，指的是我正從飲食失調，也就是厭食症當中逐漸康復。去年以來，我多次進出療養中心，狀況很糟。最近我剛從一家位於加州的療養所出院，我就是在那裡看了你的DVD。我從未感覺如此被鼓舞、如此積極，你眞的讓我很驚訝。你的一切都這麼棒、這麼正面，從你口中說出的每個字都對我產生一定的影響。我這輩子從未如此感恩，有好幾次，我覺得自己的人生已走到盡頭，但現在我知道每個人的生命都有個目的，也明白人應該尊重自己本來的樣子。

說實在的，對於你的DVD所帶給我的鼓勵，我怎麼謝你都不夠。我期待有一天可以見到你，希望在我死之前可以實現這個夢想。你具備一個人所能擁有最棒的人格特質——你讓我開心大笑（這對復元中的人是很難得的）。

因爲你，我現在堅強多了，也比較意識到自己是誰，不再那麼在意別人怎麼想我，也不再老是唱衰自己。你教會我如何把負面事物轉爲正面，謝謝你拯救了我的人生，讓我的生命轉了一個彎。我眞是太感謝你了——你是我的英雄！

★請盡量使用我吧！

我收到過很多類似的信，眞的非常感恩。對於童年時期十分沮喪的我來說，這種狀況眞的很奇特，因爲那時我覺得我連享受自己的生命都談不上，更別提幫助別人享受他們的生命。你或許還在追尋生命的意義，但我不認爲如果不服務他人，你能獲得滿足——我們每個人都希望好好運用自己的才華、知識，讓他人受惠，而不只是拿來賺錢吧。

在今日的世界，即使大家都十分清楚，物質上的成就並不代表心靈上的滿足，但我們仍須一再被提醒：圓滿的人生與擁有財物沒有關係。人們會試圖用各種奇怪的方法得到滿足感：喝酒；嗑藥麻痺自己；扭曲身體以迎合某些霸道的「美」的標準；一輩子拚命工作，以求達到成功的巔峰，但這種成功往往一瞬間就會毫不留情地離去。大部分有智慧的人都知道恆久的幸福沒有捷徑，如果你押寶在短暫的快樂上，就只能得到短暫的滿足。你付出什麼，就會得到什麼——廉價的刺激得來容易，但是今天還在，明天就消失了。

生命的重點不是擁有，而是存在。你可以用錢能買到的所有東西把自己團團圍住，但你依然會是個最可悲的人。我認識一些四肢健全且身材完美的人，他們的快樂卻不及我的一半；四處旅行時，我在孟買貧民窟和非洲孤兒院裡看到的喜樂，老實說，比我在那些管

理森嚴的高檔社區和價值幾百萬美元的豪宅裡看到的還要多。

爲什麼會這樣？

當你的天賦與熱情找到交集、全然發揮時，你會獲得滿足。請認出速食般的自我滿足的眞面目，抗拒物質世界的誘惑，例如豪宅、最炫的衣著，或最熱門的車款。「如果我有……就會很快樂」症候群是個大騙局，如果你只在物質事物上尋找快樂，那麼東西再多也不夠。

不要把注意力全部放在物質上，要看看生命的所有層面，向內觀看。

當我還是個小男孩時，我常常在想，如果上帝給我雙手雙腳，那我從此以後一定可以過著幸福快樂的生活。這種想法不算自私吧，畢竟手腳是「基本配備」啊。不過就像你知道的，沒有這些附件，我發現自己也可以很快樂、很滿足。丹尼爾讓我再次確認這件事，和他們一家人接觸的經驗提醒了我，我爲何存在這個世界上。

爸媽一到加州，我們就一起去丹尼爾家拜訪。我和爸媽花了好幾個小時跟他的父母聊天，比較彼此的生活經驗，也提到丹尼爾未來會碰到的事，以及過往我們是怎麼處理的。就從那時開始，我們之間建立了堅固的連結，直到今天。

一年後我們再次碰面，丹尼爾的父母提到，醫生覺得他還沒準備好擁有一部像我一樣

的特製輪椅。

「怎麼會？」我問，「我也是在丹尼爾這個年紀就開始自己操作輪椅啊。」

爲了證明我的論點，我跳下輪椅，讓丹尼爾坐上來，他的小左腳恰好能配合那支操縱桿。他愛死了，操作得很棒呢！就因爲有我們在那裡，丹尼爾才有機會向他父母證明他可以操控特製輪椅——這是我知道我能透過自身經驗帶給他的許多協助之一。可以爲丹尼爾帶路，我眞是有說不出的激動。

那天，我們給了丹尼爾一項珍貴的禮物，但他給我的回饋更棒——他的喜悅讓我感受到無可比擬的充實圓滿。不是豪華轎車，也不是大宅邸，沒有什麼東西比與上帝同行、實現祂對我們的人生計畫更棒的了。

禮物還在繼續送出去。後來又去拜訪丹尼爾一家人時，爸媽提到以前很擔心我會因爲沒手沒腳浮不起來，而溺死在浴缸裡，所以當我還是個嬰兒，他們幫我洗澡時就會非常小心；但是等我大一點，爸爸會在水中輕柔地托住我，讓我知道其實我浮得起來。久而久之，我變得愈來愈有自信和冒險情懷，還發現只要在肺裡保留一些空氣，我就能很輕易地浮在水面上。我甚至學會利用小左腳幫助我在水中前進，就像推進器一樣。想像一下，當我爸媽看到我在水裡面會有多驚恐，而我變成一個看到泳池就要跳進去的游泳狂，又讓他們有多訝異了。

我們後來很高興地知道，丹尼爾開始學講話時，最先說出的幾句話之一就是：「像力克一樣游泳！」現在，他也成了游泳狂，這眞是太棒了。看到丹尼爾從我的經驗中受益，賦予我的生命更深刻的意義。就算我的故事沒有打動其他任何人，但有了丹尼爾這一句「像力克一樣游泳」，也足以讓我人生所經歷的一切苦難值回票價。

認清你生命的目的是最重要的事，而且我向你保證，你肯定也可以有所貢獻。或許現在還看不出那是什麼，但你要知道，如果沒有什麼可貢獻，你就不會出現在這個地球上。我十分確定上帝不會製造錯誤，但祂會創造奇蹟。我是一個，你也是。

注❶：《聖經》羅馬書第八章第二十八節。

注❷：lay pastor，上過神學院，有牧師資格，但未專職當牧師，而是另有其他工作，不過平常也會四處宣教或講道。

注❸：Dr. Spock，著名的美國小兒科醫師，權威育嬰寶典作家。

注❹：《聖經》耶利米書第二十九章第十一節。

第二章

沒手沒腳，沒有限制

當負面思想與陰暗的情緒找上你時，請記住，你是有選擇的。如果你需要幫助，就去尋求幫助，因為你並非孤單一人。你可以選擇想像更美好的生活，然後採取行動實現它。

在我行走人生和旅行各地的途中，常常見證人類心靈令人難以置信的力量。我確信世上有奇蹟，但奇蹟只會發生在抱持希望的人身上。什麼是希望？希望是夢想的開端；希望爲你的人生目的發聲，跟你說話，告訴你無論外在環境發生什麼，這些都不存在你之內。或許發生在你身上的事是你無法控制的，但你可以決定如何回應。

馬丁·路德·金牧師說過：「這世上每一件完成的事，都是在希望中完成的。」我確信只要仍有呼吸，你就有希望。你我只是凡人，無法看到未來，而是描繪出未來的各種可能。只有上帝知道每個人的生命將如何開展，而希望就是祂賜給我們的禮物，一扇看向未來的窗子。我們不知道上帝爲每個人計畫的未來是什麼，但請相信祂，心存盼望，即使面臨最糟的狀況，也要盡全力爲最好的結果做準備。

當然，有時禱告會得不到回應，即使祈禱、抱持信心，不幸的事還是會發生。就算是最好、心靈最澄澈的人，有時仍會經歷可怕的失落與痛苦。最近陸續發生在海地、智利、墨西哥和中國的嚴重地震就提醒了我們，巨大的苦難與悲劇每天都在發生。數以千計的人在這些自然災難中喪生，他們的希望與夢想也隨之埋葬，很多母親失去了孩子，許多孩子失去了母親。

如何在這樣的苦難之中依然抱持希望呢？當我聽到這些可怕的災難時，有一種想法支撐著我：如此殘酷的悲劇往往會觸動人類驚人的關愛之心。當你正在懷疑爲何在這些無

意義的苦難中，還能心存盼望時，盼望就化作龐大的志工團出現了——學生、醫生、工程師，以及許多救難人員和重建者湧入災區，全力貢獻所長，以幫助倖存者。

即使在最糟糕的時刻，依然會出現希望，證明上帝的存在。跟我遇到的許多人比起來，我個人所遭遇的苦難實在小得多，但我也曾經因為失去摯愛而悲傷。儘管我們家族、教會與社區所有虔誠的基督徒都眞誠地禱告，我的堂哥羅伊還是在二十七歲時死於癌症。與你如此親近的人離世，讓人心碎，也難以理解為何會發生這種事，這就是爲什麼心存盼望對我很重要的原因。你知道，我的盼望已超越地上生命，終極的盼望在天堂。篤信耶穌基督的羅伊此刻與耶穌同在天堂，而且不再受苦——這樣的盼望大大撫慰了所有家人的心。

即使面對的惡劣狀況似乎已超過個人能力，但上帝知道我們能承受多少。我相信地上生命只是短暫的，是要爲永生做準備；無論現在的人生是好是壞，天堂的承諾都在等著我們。在最困難的時光裡，我總希望上帝會賜給我力量，以承受這些磨難與心痛；我相信好日子就在前方，如果不是在地上，那肯定在天堂。

在禱告未得應允時，我有個很棒的方法可以讓自己繼續挺住，那就是走出去接觸其他人。如果你的痛苦是個負擔，就去減輕別人的痛苦，帶給他們希望，鼓勵他們，讓他們因爲知道自己並不是孤獨地承受苦難，而得到安慰。當你需要安慰時，給別人安慰；當你需

要友誼時，成爲他人的朋友；在你最需要希望時，給人盼望。

我還年輕，不想假裝自己無所不知，但我愈來愈了解，當絕望蔓延、當我們的禱告沒有得到回應、當我們最深的恐懼成眞時，救贖的力量就在我們和周遭人的關係之中，也在我們與上帝的關係，以及我們對祂的愛與智慧的信任裡（對我和基督徒來說更是如此）。

容光煥發的地震孤兒

二〇〇八年的中國行，讓我更相信希望擁有戰勝絕望的力量。那次旅行，我看到了長城，並且對這個世界奇景的宏偉壯觀深感驚奇。但我最感震動的時刻，是當我見到一個年輕的中國女孩眼中那愉悅的微光。那時她正和其他孩子共同演出一場可說是奧運等級的表演，而這女孩喜悅的表情引起我的注意，讓我無法移開目光。在精確地與其他人一起舞動的同時，她還得平衡頭上的轉盤，但儘管必須非常專注地思考每個步驟，她的臉上仍流露出強烈的快樂，讓我感動落淚。

你知道，這個女孩和其他一同表演的孩子都來自一所超過四千人的孤兒院。二〇〇八年五月，中國發生一場嚴重的地震，這所孤兒院就收容了衆多因地震成爲孤兒的孩子。我

和我的看護及居間協調這次行程的人帶來一些物資，想送給這些孤兒，我並且應邀演講，鼓勵這些孩子。

前往孤兒院的途中，看到地震造成的傷害與苦難，讓我心神震撼。面對如此慘狀，我有點擔心不知要跟這些孤兒說什麼。大地裂開，吞噬了他們所愛、所認識的一切——我從未承受過如此可怕的事，我能對他們說些什麼？我們帶來一些保暖的外套和衣物，但我要如何給他們希望？

抵達之後，我被一群人簇擁著進入孤兒院，孩子們一個接一個擁抱我。我們語言不通，但不要緊，他們的臉已說盡一切。在這樣的環境中，他們依然容光煥發，我根本不必擔心該說些什麼來幫助他們。不是我鼓舞了這些孩子，那天，是他們透過表演中那昂揚的精神激勵了我。這些孩子失去雙親、失去家、失去一切，但他們依然表達了喜悅。

我告訴這些孩子，我很敬佩他們勇敢的精神，也鼓勵他們繼續向前看，大膽期盼有一個更美好的人生，盡全力追求自己的夢想。

未來會有好日子的機會怎麼可能是零？

要具備追求夢想的勇氣，無論遇到什麼挑戰都不要懷疑。不只在中國的孤兒院，我也在孟買的貧民窟和羅馬尼亞的監獄裡看過人們超越環境的驚人能力。最近我到南韓一個社會福利中心演講，裡頭有些人是身障者，還有些是單親媽媽，他們的心靈力量讓我驚訝。我也曾拜訪南非一座有著高聳的水泥牆和鏽蝕柵欄的監獄，儘管重刑犯不准進入小教堂參加聚會，但我可以聽到外面整座監獄傳來應和著福音音樂的歌聲，彷彿聖靈已經讓這裡所有的人充滿上帝的喜樂。從外在看來，這些人被監禁了，但因著信心和希望，他們的內在已然自由。

那天走出監所大門時，我覺得這些牢囚似乎比監獄外的許多人還要自由。你也可以像這樣允許希望常住你心。

請記住，悲傷是沒有用的。會有這種感受很自然，但你不能讓它日日夜夜支配你的思想。你可以藉由把注意力轉向比較積極正面、可以提振精神的想法和行動，來控制你的反應。

我是一個屬靈的人，所以在悲傷的時候會依靠我的信心，不過，我所受的會計訓練提

供了一個更實用的方法（這可能讓人驚訝）。當你說你沒有任何指望時，表示你覺得自己的人生再出現好事的機會是零。

零？你不覺得這很極端嗎？對我而言，「未來總會有好日子」這種想法之所以不辯自明，是因爲「未來不會變好」不是更不可能嗎？希望、信心和愛是靈性的柱子，無論你的信仰是什麼，你都不應該失去希望，因爲生命中一切的美好都是從希望開始的。如果不是心存盼望，你會想要組成一個家庭嗎？如果不是抱著希望，你會想要學習新事物嗎？希望幾乎是我們走每一步的出發點，而我寫這本書是希望幫助你找到更美好的人生，一個沒有限制的人生。

《聖經》中有一節經文說：「但那等候耶和華的必從新得力。他們必如鷹展翅上騰；他們奔跑卻不困倦，行走卻不疲乏。」（❶）我第一次讀到這節經文時便了解，我不需要手和腳。你也應該明白這一點，而且永遠別忘記，上帝從未放棄你。繼續前進吧，因爲行動創造動能，而這回過頭來會創造意想不到的機會。

只要挺住，任何事都有可能

二〇〇九年發生在海地的慘烈地震讓世人同感哀傷，然而儘管巨大的災難帶來悲劇，這可怕的狀況也帶出人們最棒的特質，就如同我們在那些面對周遭反對聲浪仍不放棄的倖存者身上所看到的。

地震後，瑪莉亞的兒子艾繆爾被認定已經活埋在一棟建築物裡。二十一歲的艾繆爾是位裁縫師，地震發生時，他跟媽媽瑪莉亞正待在她的公寓裡。媽媽順利逃出來了，但找不到兒子，而公寓早已成了一堆瓦礫。瑪莉亞在爲災民搭建的臨時帳篷裡到處找兒子，卻遍尋不著。她一直等待，盼望兒子能找出一條生路。

幾天後，瑪莉亞穿過一片混亂與斷垣殘壁，回去找兒子。儘管現場的重機械發出巨大聲響，但在一個短暫的瞬間，瑪莉亞覺得自己聽到了兒子的呼救聲。

「那一刻，」她告訴一位記者，「我就知道要救出兒子是可能的。」

瑪莉亞告訴每個人，她兒子在亂石堆下呼叫她，但沒人能幫忙。在國際救援團體抵達後，瑪莉亞終於可以找到一組有經驗的工程人員來幫她。瑪莉亞說服他們說她兒子還活著，而藉由裝備與專業知識，搜救小組砍斷鐵條、水泥牆和碎石，抵達她聽見兒子呼救聲

的地點。

他們繼續向下挖，一直到看見艾繆爾向搜救人員伸出的手。搜救小組繼續努力，艾繆爾的肩膀露了出來，他們終於可以把他往外拉。艾繆爾被埋了十天，嚴重脫水、渾身塵土、極度飢餓，但是他活了下來。

有時，你所擁有的只是你認爲凡事皆可能、奇蹟眞的會發生的信念。就像瑪莉亞面臨的狀況一樣，周遭也許一片混亂，但你不應該陷入絕望；相反地，你要相信無論你缺乏什麼，上帝總會供應！就是這樣的信念鼓舞了瑪莉亞，讓她採取行動，而她的行動將她帶到兒子的呼救聲可及之處。是瑪莉亞的盼望救活了艾繆爾——這樣想不算離譜吧？

或許你現在的生活不是太順利，但只要你挺住、只要你繼續向前，任何事都有可能。

心存盼望而活

或許你對「抱持希望，什麼都有可能」這種想法心存懷疑，又或者你曾經心情低落到覺得自己幾乎找不到出路。我也有過這種感覺，那時我徹底相信自己的生命永遠不可能有價值，我只會成爲家人和朋友的包袱而已。

我出生時，父母非常沮喪。這不能怪他們，他們可沒準備好會有這樣一個缺手缺腳的小孩。當孩子來到這個世界時，每個父母都會設想孩子的未來，但我爸媽卻很難推斷我將來到底會過什麼樣的日子；漸漸長大之後，我也有了這樣的困惑。

我們都曾經覺得自己的人生即將在殘酷的現實中毀滅，就好像一輛高速行駛的汽車撞上牆壁。你個人的遭遇也許很獨特，但這種絕望的情境人皆有之。常有青少年寫email告訴我，虐待和忽視的問題撕裂了他們的家庭；成年人則談到藥物、酒精或色情癱瘓了他們的人生。有某些日子，我會覺得跟我談話的人裡頭好像有一半得了癌症，或是面臨其他危及生命的醫療狀況。

在這樣的情境中，要如何持守盼望？請相信上帝，並記住你來到這裡是有理由的，然後爲了實現那個目標奉獻出自己。無論你碰到的挑戰是什麼，你都深受祝福，得以找到出路。只要想想我爸媽和他們曾經面對的絕望，你就能理解了。

我有權利過不受限的生活

在覺得身上的負擔讓人無法承受時，還要保持正面、積極的心態，也實在太難了。當

我大到可以理解前面有多少難關在等著我時，絕望的感覺常常揮之不去，我無法想像自己的人生庫存裡會有任何好事。我對於童年那些黑暗歲月的記憶已漸漸模糊，但我確實經歷過覺得跟別人不一樣實在很難熬的日子。我確定你也有過這種自我懷疑，我們都想要融入這個世界，但有時就是覺得自己是個局外人。

我的不安和懷疑大多來自沒手沒腳引起的生理困難。雖然不知道你的煩惱是什麼，但心存盼望眞的幫助了我。以下就是我的早期經歷之一：

學步期時，醫療團隊建議爸媽讓我跟一群有「身心障礙」的小孩一起玩。這些孩子有的缺手或缺腳，有的罹患囊胞性纖維症，還有一些有嚴重的精神疾病。我爸媽對其他孩子和他們的家庭有極大的愛與同理心，但他們認爲任何一個孩子都不應該被限制在某個團體裡，只跟同一群人玩。他們確信我的人生不會有限制，也努力保持這個夢想。

我媽媽——願神祝福她——在我幼年時就做了一個重要決定。「力克，你要跟普通小孩一起玩，因爲你就是個正常的孩子，只不過少了某些小零件而已。」媽媽替我未來的日子定了調。她不想讓我覺得自己不正常或受到限制，也不希望我只因爲生理上的不同，就變成一個封閉、害羞或缺乏安全感的人。

我並不知道，其實那時我的父母就已經開始灌輸我一個信念：我有權利過沒有標籤和限制的生活。你也有這樣的權利，去擺脫他人對你的分類或限制。因爲少掉一些零件，我

可以很敏銳地察覺到，有些人會默默接受別人對他的看法，甚至不自覺地自我設限。有時我因為太累或身體不舒服，就跟爸媽說上學或看醫生實在太費力氣了，但他們拒絕讓我用身體狀況當藉口。

標籤可以提供誘人的藏身之處，有些人拿來當作藉口，但也有人超越了它們。有許多人被貼上「身障者」或「失能者」的標籤，卻能夠超越別人認為他們應該有的限制，過著充滿活力的生活，從事重要工作。所以我鼓勵你打破人生的任何限制，盡情探索並發展你的天賦。

身為上帝的孩子，我知道祂常常與我同在；而知道祂了解我們能承受多少，也讓我覺得安慰。當別人與我分享他生命中的挑戰和考驗時，我常常感動落淚；我也會提醒那些受苦或悲傷的人，上帝的臂膀永遠不會太短，可以觸及任何人。

從這裡汲取力量吧。大膽嘗試，並朝著你所能想像的最高處盡情飛翔。或許你會碰到難關，那就把這些挑戰當作「塑造人格的經驗」，從中學習並努力超越；或許你有個很棒的夢想，那就請你打開心胸，接受上帝或許為你計畫了一條不同於你所想像的路。圓夢的方法很多，如果你還沒看見出路，千萬不要灰心。

接受別人幫忙，自己也要加油

希望是個催化劑，能挪走看起來簡直動它不得的障礙。當你繼續使力、拒絕放棄，就創造了動能。「希望」會創造出你料想不到的機會，然後貴人向你靠近，大門打開，路障清除了。

請記住：行動帶來回應。當你打算放棄夢想時，告訴自己再多撐一天、一個禮拜、一個月，再多撐一年吧。你會發現，拒絕退場的結果令人驚訝。

到了該上小學的年紀，爸媽再次努力遊說各方，讓我不被排除在一般教育之外。由於他們堅定不屈的信念，我成爲澳洲第一批進入主流學校就讀的身障學童之一。結果我在主流學校表現很好，一份地方報紙報導了我的故事，標題是「融入主流，身障兒大放異采」，還附上一張妹妹蜜雪兒跟我一起坐在輪椅上的大照片。這篇報導引起全國關注，有政府官員來訪，我還收到卡片、信件、禮物，以及來自全國各地的邀請。

媒體報導之後湧進來的捐款也在經濟上幫助了我的父母，他們要爲我換裝義肢。爸媽從我一歲半開始，就嘗試讓我適應人工四肢，我的義肢初體驗是一隻不怎麼好用的手臂，這隻用滑輪和槓桿操作的機械手臂差不多有我整個人的兩倍重。

裝上這個新玩意兒，光是保持平衡就困難重重，我過了好一陣子才搞定。之前我已經可以很熟練地用小左腳、下巴或牙齒抓東西，這隻新加入的手臂似乎只是讓我平常做的事變得更困難。無法好好利用它，爸媽起先也很失望，但我愈來愈有信心，覺得靠自己也能做得很好。我鼓勵爸媽、感謝他們，並且往前看。

堅毅不拔有一種力量。我們第一個人工手臂實驗失敗了，但我仍相信一切會有最好的結果。我的樂觀和高昂的士氣感動了當地的獅子會，他們為我募集了二十多萬美元，以支付醫療和一部新輪椅的費用。這些募捐來的錢也讓我們可以到加拿大多倫多，去試用由一家兒童醫院設計出來的電子手臂。然而，最後連醫學專家也認為，我不用義肢，而是靠自己，做事效率可能還高一些。

我很高興有科學家和發明家熱中研究，希望某天可以給我四肢，不過我更加堅定心意要盡我所能，而不是枯等別人發現或發明什麼來改善我的生活——我必須自己尋找答案。直到今天，我還是很歡迎別人幫我忙，例如替我開門，好讓我的輪椅通過，或是拿起杯子讓我喝一口水，但我們必須為自己的幸福與成功負責。你的朋友和家人或許會在你有需要時伸出援手，請對此心懷感激，歡迎他們對你的付出，但你自己也要繼續加油。你愈是努力，就能創造愈多機會。

有時候，你可能覺得自己的目標就快要實現了，結果卻功敗垂成，但這不是你喊停

的理由。只有拒絕再試一次的人才會被打敗。我依然相信自己總有一天可以像一般人一樣走路、像一般人一樣舉起或握住東西。這些事如果眞的發生了，無論是出於上帝的親手作爲，或是祂透過地上的代理人所做的，都會是個奇蹟。機械四肢的科技日新月異，說不定哪天我眞的可以穿戴上便利的義肢，不過我目前的樣子也是讓我很滿意啦。

事實上，那些我們認爲是阻礙的挑戰，常常讓我們變得更強壯。你要接受這樣的可能性：今天的障礙或許是明天的優勢。我已經把自己沒有四肢這件事當作一項有利條件，因爲男女老少就算跟我語言不通，光是看到我，也知道我這輩子難關肯定沒少過。他們都明白，我的人生體悟得來可不容易。

我也曾一度放棄希望

當我對聽衆說要爲美好的未來堅持下去時，這是我的經驗之談。你可以相信我說的話，因爲我也曾一度放棄希望。

我的童年大部分時間都很快樂，但是大約十歲時，負面想法淹沒了我。無論我多麼努力讓自己樂觀、意志堅定和富有創意，總有些事我的確做不來，其中有些只是簡單的日常

活動，這讓我很困擾，例如我就不能像其他小孩一樣，從冰箱裡抓一瓶飲料出來；不能自己吃飯也讓我覺得挫折，我很討厭開口要人家幫忙，因爲這樣會一直打斷別人吃飯。

還有一些更大的問題是我這段期間揮之不去的陰影：我能找到一個愛我的人作妻子嗎？我要怎麼養家活口？當我的家人被欺負時，我如何保護他們？

大多數人也會有這種想法，某些時刻，你會擔心自己能不能擁有持久的關係、穩定的工作或安全的居所。往前看很正常、很健康，這樣才能發展出對未來的憧憬；不過，當負面想法妨礙你展望未來、讓你變得憂鬱時，問題就出現了。所以我會禱告，並且用上帝的話語提醒自己，祂永遠與我同在，從沒離開我、忘記我，甚至會讓最壞的事出現最好的結果。我告訴自己無論外在環境如何，都要緊抓住上帝的承諾；我知道上帝是美好的，如果祂允許壞事發生，儘管我不一定可以理解，但我相信上帝有良善美意。

負面思想在腦裡狂奔時，可以選擇「關機」

隨著十一歲生日愈來愈近，我也進入難搞的青春期——這時候的我們，腦袋重整、奇怪的化學物質在身體裡亂竄。其他同齡的男孩和女孩開始成雙成對，這讓我的疏離感愈來

愈強烈。

哪個女孩會想要一個不能握著她的手、不能跟她一起跳舞的男朋友？

不知不覺，這類黑暗的想法與負面感受出現得愈來愈密集，加重了我的精神負擔。通常當我夜不成眠，或者在學校累了一天之後，這種想法便會爬滿心頭。你知道那種感覺：疲憊不堪、情緒不好，彷彿全世界的重量都壓在你肩頭。我們都會心情低落，特別是睡眠不足、生病或其他難關讓我們變得脆弱的時候。

沒有人可以無時無刻都很開心或充滿活力，鬱悶、嚴肅的心情是很自然的，而且也有作用。最近的心理學研究指出，深沉一點的心情會讓人更嚴謹而有條理地看待自己的工作，當你在平衡收支、計算稅金或編輯論文時，這種觀點就滿有幫助的。只要你能覺察並掌控自己的情緒，就算負面思想也能產生正面的結果；只有在情緒控制了行動時，才會讓你急遽落入沮喪和自我毀滅的行爲中。

關鍵是你不能讓負面情緒和沮喪的感受淹沒或席捲了你。幸好，你有能力調整態度。當你察覺到負面思想正在你腦子裡狂奔時，你可以選擇「關機」。你要承認這些思想的存在，了解它們的源頭，但請把注意力放在解決問題的辦法上，而不是問題本身。我記得《聖經》課程裡有一幅圖——〈上帝的全副軍裝〉，上面畫著用公義當護心鏡，以眞理作帶子束腰，手拿信心作盾牌，以聖靈爲寶劍，並以救恩當作頭盔。我知道這些就是一個基

督徒男孩需要的武器。我將上帝的話語視爲與負面思想戰鬥的寶劍，而這把寶劍就是《聖經》。請你也拿起信心的盾牌保護自己吧。

我應該是抽到下下籤吧？

在自尊與自我形象非常重要的青春期，我讓憂慮和恐懼淹沒了我。我出差錯的地方徹底壓過了一切好事。

我就是抽到下下籤啦。我要如何過一個有工作、有太太、有小孩的正常生活？我永遠都會是周遭人的負擔。

直到失去盼望，我才成了一個殘障者。相信我，失去盼望的損失遠超過失去四肢。如果你經歷過悲痛或沮喪，就會知道絕望有多糟。我從未如此憤怒、受傷和困惑。

我禱告，問上帝爲什麼就是不能給我祂給其他人的那些東西：「我祈求手和腳，你都不理我，是因爲我做錯了什麼嗎？你爲什麼不幫我？你爲什麼要讓我受苦？」

上帝或醫生都無法解釋爲何我一出生就沒手沒腳，而缺乏一個解釋（就連科學理由都沒有），讓我感覺更糟。我一直在想，如果有個理由，不管是屬靈的、醫學上的或其他

的，都會讓我好過一點，說不定我就不會那麼痛苦。

很多時候，我心情低盪到不想去學校。在那之前，自憐從來不是個問題，我一直很努力克服身體障礙，參與各種正常活動，像其他孩子一樣玩耍。大多數時候，我的堅定和自立讓父母、老師和同學印象深刻，然而，我是把傷痛深藏於內。

我被當作是個屬靈的孩子扶養長大，總是會去教會，並深信禱告和上帝醫治的大能。我對耶穌很著迷，吃飯時，想到祂正與我們同桌而坐，我就微笑了起來。我向上帝祈求手和腳，有段時間，我眞的期望早上一起來就發現自己已經有了四肢，就算一次只有一隻手或一隻腳都好。當它們沒有出現時，我對上帝愈來愈憤怒。

那時我自以爲了解上帝造我的目的，是要在一項奇蹟中作爲祂的搭檔，這樣世人就會知道上帝是眞實存在的。我會如此祈求：「上帝啊，如果你給我手和腳，我會到世界各地分享這項奇蹟、會在全國的電視上告訴所有人發生在我身上的奇妙事件，然後全世界都會看見上帝的大能。」我告訴祂我知道了，而且願意堅持完成我的目標。我還記得自己這樣禱告；「上帝啊，我知道你把我造成這樣，是因爲當你給我手和腳時，這個奇蹟就可以向世人證明你的力量和愛。」

小時候我就知道上帝會用各種不同的方式跟人說話，我想，祂可能會讓我「感覺到」祂的回應吧，但我感受到的只有沉默，沒有別的。

爸媽跟我說：「只有上帝知道爲什麼你生出來會是這樣。」那我就去問上帝，但祂又不告訴我。這些沒有得到滿足的請求和沒有得到答案的問題，深深傷害了我，因爲我以前一直認爲自己跟上帝很親近。

我還得面對其他挑戰。我們往北遷徙了一千六百多公里到昆士蘭，離開了我的大家族，叔伯姨舅和二十六個堂、表兄弟姊妹給我的保護繭被奪走了。而搬家的壓力也加在爸媽身上，儘管他們保證一切都會很好，也給我滿滿的愛與支持，但我就是甩不開認爲自己是他們巨大的負擔這種感覺。

我彷彿戴上眼罩，看不到生命裡的任何亮光。我看不出自己會對任何人有幫助，覺得自己只是個錯誤，是自然界的怪物、上帝遺忘的孩子。爸爸、媽媽努力告訴我事情不是這樣，他們爲我朗讀《聖經》、帶我去教會，但我就是沒辦法從痛苦和憤怒中走出來。

當然也有比較光明的時候。上主日學時，我跟同學一起唱著：「耶穌喜愛一切小孩，世上所有的小孩，無論紅黃黑白種，都是耶穌心寶貝。耶穌喜愛世上所有的小孩。」那時，我心裡覺得很高興。被支持我、愛我的人包圍著，這首讚美詩唱進了我的心坎裡，讓我得到安慰。

我很想相信上帝深深顧念著我，但是當我覺得疲累或身體不太舒服時，陰鬱的念頭又鑽了進來。在學校操場中，我坐在輪椅上尋思：「如果上帝眞的愛我，像愛其他小孩一

樣，那祂爲什麼不給我手和腳？爲什麼祂要讓我跟祂其他的孩子那麼不同？」

這種想法甚至在白天和很開心的場合也會入侵。我一直被絕望和「人生一定會非常艱難」這種感受所苦，而上帝似乎沒有回應我的祈禱。

有一天，我正坐在流理檯上看媽媽煮飯，通常這會讓我感到安定和放鬆，但突然間，負面想法完全占據我的心：「我不想一直黏著媽媽，成爲她的負擔。」我有一股衝動，很想把自己從流理檯上扔下去。於是我往下看，試著找出從哪個角度掉下去才可以扭斷脖子、成功地自殺。

但是我說服自己別這麼做，最主要是因爲假如沒死成，我就得跟別人解釋我爲何如此絕望。這麼接近自戕邊緣這件事讓我感到害怕，其實我應該讓媽媽知道我曾經有這種想法，但實在難以啓齒，我不想嚇她。

我還年輕，而且雖然身邊圍繞著愛我的人，但我並沒有去找他們，並說出自己最深沉的想法。我擁有資源，卻沒有善加利用，這眞是個錯誤。

如果你覺得被陰暗的情緒壓倒了，不必只靠自己的力量處理，那些愛你的人眞的想幫你，他們不會覺得有負擔。如果你沒辦法向熟人傾吐，就去找學校、工作場所和社區裡的專業諮商人員。你我都不是獨自一個人，現在我已經知道了，所以我不希望你像我一樣，如此接近那個致命的錯誤。

但那個時候，我被絕望橫掃，認爲只有結束自己的生命，才能結束痛苦。

只差一點，我就把自己淹死在浴缸裡了

有一天下午放學後，我問媽媽可不可以把我放在浴缸裡泡一會兒。當她離開浴室時，我請她把門帶上，然後就把耳朵浸入水裡。在寂靜之中，沉重的思緒在我心裡奔騰；其實我是計畫好要這麼做的。

如果上帝不帶走我的痛苦，如果我的生命根本沒有意義……如果我到人世走一遭只是爲了體驗被排斥和孤獨的感覺……我是每個人的包袱，我沒有未來……我現在就應該結束一切。

前面提過，我剛開始學游泳時，是把肺裡裝滿空氣，好讓自己仰著漂浮。現在我試著估計在翻過來之前，肺裡要保留多少空氣：翻身之前要屏住氣嗎？我是要深深吸氣，還是只吸一半？是不是乾脆把肺放空，直接翻沉算了？

最後我直接轉過去，把臉沉入水中。我本能地屏住氣，而因爲肺活量夠，我漂浮了一段應該不算短的時間。

當空氣沒了，我又翻了回來。

我辦不到。

但陰暗的念頭還在堅持：「我要離開這裡。我只想消失。」

我吐出肺裡大部分的空氣，然後又翻了過去。我知道自己至少可以撐個十秒，所以我開始倒數：「十、九、八、七、六、五、四、三……」

我繼續算著，然後，一個影像飛快閃過我心頭：爸媽在我的墳墓邊哭泣，七歲的弟弟亞倫也在哭，他們悲嘆地說都是他們的錯，他們應該為我做更多。

我無法忍受讓他們終身悔恨，覺得應該為我的死負責。

我太自私了。

我又翻過身來，大大吸了一口氣。我辦不到。

我不能讓家人背負這種失落和內疚的重擔，但我的痛苦真的難以忍受。那天晚上，我在我們共用的房間裡跟亞倫說：「我打算在二十一歲時自殺。」

我覺得自己可以撐過高中和大學，再往後就沒辦法了。我不覺得自己可以像其他男人一樣，找到一份工作或結婚。有哪個女人會想嫁給我？所以，二十一歲看來就是結束我生命的時候了。當然，對那時的我來說，二十一歲還很遙遠。

「我要告訴爸爸你這樣說。」弟弟回答。

我叫他別告訴任何人，然後就閉上眼睛睡了。接下來，我就感覺到爸爸的重量，他坐在我的床上。

「你說要自殺，這是怎麼回事？」他問道。

爸爸用溫暖安定的語氣，告訴我還有許多美好的事在等著我。他一邊說，一邊用手指梳理我的頭髮——每次他這麼做，我都好喜歡。

「我們永遠會和你在一起，」爸爸保證，「一切都會沒事的。我答應你，我們會一直在你身旁。你會好好的，兒子。」

有時只需要愛的碰觸與關懷的凝視，就能讓一個心亂如麻的孩子放鬆下來。在那個關頭，聽到爸爸保證說一切都會很順利，那就夠了。他用安撫的語調和觸摸讓我相信，我們一定會爲我找到一條路。每個兒子都想信任父親，那天晚上，爸爸給了我某樣東西，讓我可以緊緊握住。

一個父親給孩子的保證是世上最強的，在這方面，我爸爸一向非常大方，也善於表達對子女的愛與支持。我還是不了解事情會如何發展，但因爲爸爸說終究會解決，我就相信。

和爸爸談過之後，我睡了個好覺。偶爾有些日子，我還是不太好過，但在我對未來有自己的夢想之前，我信任父母，並長久持守盼望。有些時刻，甚至是一長段時間，我會有

懷疑和恐懼，但幸好我人生的最低點也就是那一次了。即使現在，我還是跟其他人一樣會有低潮，但我再也沒想過要自殺了。

回首當時，並思考之後一路走來的人生，我只能感謝上帝將我從絕望中拯救出來。

你可以選擇想像更美好的生活

透過我在超過二十五個國家的演講、DVD，和YouTube上幾百萬的瀏覽人次，我有幸將充滿希望的訊息帶給許多人。我實在很難想像，如果我在十歲就結束自己的生命，將失去多少喜悅、失去多少與人分享人生故事和領悟的機會——包括印度的十二萬多人、哥倫比亞鬥牛場中的一萬八千人，以及烏克蘭一場大雷雨中的九千人。

隨著時間過去，我逐漸明白，在那個陰鬱的日子裡，我沒有取走自己的生命，是上帝取走了。

祂取走我的生命，重新賦予它更多意義、目的與喜樂，遠遠超過一個十歲孩子有限的眼光所能理解。

不要去犯我幾乎犯下的過錯。

一九九三年那次，如果我讓自己的臉再往水下沉個十多公分，或許我是能結束短暫的痛苦，但代價是什麼？我將看不到現在這個在夏威夷海邊與海龜一同游泳、在加洲衝浪、在哥倫比亞潛水的開心男子。除了這些探險活動，更重要的是，我或許永遠不可能接觸到這麼多生命。

我只是個微小的例子，挑個眞正的英雄吧，無論是德蕾莎修女、甘地，或是馬丁·路德·金牧師，你會發現這些人身處逆境——監獄、暴力，甚至死亡威脅——卻始終相信，他們的夢想會勝過一切。

當負面思想與陰暗的情緒找上你時，請記住，你是有選擇的。如果你需要幫助，就去尋求幫助，因爲你並非孤單一人。你可以選擇想像更美好的生活，然後採取行動實現它。

想想看，當我還是個孩子時，我面對些什麼，而如今我過的又是怎樣的日子？誰知道未來的你會有什麼樣美好的人生與偉大的成就？誰知道透過我們的付出，我們能成爲多少人生命中的奇蹟、幫助他們活出美好？所以，請與我同行，跟我這個沒手沒腳的人一起走進充滿希望的未來吧！

注❶：《聖經》以賽亞書第四十章第三十一節。

第三章

對生命的無限可能抱持信心

艱困的時光中，依然能夠前進，關鍵就在於，你不是以能看見的，而是以能想像的事物，來引導你的人生。這就叫作信心。

《聖經》將信心（faith）定義為「所望之事的實底，未見之事的確據」（❶）。你我都不能在沒有信心、不信任一些還未被證實的事物的情況下過日子。說到信心，常常指的是宗教信仰，但日常生活中其實有各種不同的信心課題。身為基督徒，我依照對上帝的信心而活，即使看不見或摸不到上帝，我心裡知道祂是存在的，並將未來交在祂手上。我不知道明天有些什麼，但因為我相信上帝，我知道誰掌管明天。這是信心的一種形式。

生活中，我在許多方面都擁有信心。例如，有些元素我看不見、摸不著也感覺不到，但我就是接受它們的存在。我相信有氧氣，也相信科學家說的，人要活下去就需要它；雖然我看不見、摸不著也感覺不到氧氣，但我就是知道它存在，因為，我在這裡——如果我還活著，那我一定正在呼吸氧氣，所以氧氣是存在的，對吧？

就像一定要有氧氣才能活下去，我們也必須信賴一些看不見的事物才可以生存。為什麼？因為你我都會遇到挑戰，生命中就是有些時刻看不見任何出路，這時，信心就進來了。

最近有個叫凱特的女性寄email給我，她因為醫療問題（包括動了將近二十次手術），被公司資遣。凱特出生時缺少大腿骨，因此在學步期就必須截肢。她現在三十多歲、已婚，但還是常常被「為什麼是我」這個問題所苦。

看了我的某段影片後，凱特了解到，有時我們就是不知道「為什麼是我」，但要相信

有一天上帝會顯明祂的計畫；在那之前，我們必須憑信心而活。

「我衷心地感謝你。現在我相信自己就跟你一樣，是上帝所揀選的，」她寫道，「希望有朝一日，我有這個榮幸可以見到你本人，擁抱你、感謝你幫助我打開眼睛，看見光明。」

在決定信靠她看不見或無法理解的事物之後，凱特才找到了力量與希望。信心正是這樣運作的：你會遇到一些起初看來根本無解的挑戰，在等待答案時，信心可能是你僅有的，而有時候，只不過單純地相信問題總會有解答，就能讓你撐過黑暗的時刻。

我給信心的定義是：心裡全然有把握（**Full Assurance In The Heart**，這五個字的第一個字母合起來，即爲**FAITH**）。或許我無法對我所相信的一切都提供證據，但我非常確定，活在信心中比活在絕望中更接近眞理。我每年會對幾千名學童演講，常常和他們一起探討「相信無法看見的」這個概念。（有時候，小朋友一開始會有些怕我，我也不知道爲什麼，我們差不多高啊。我告訴他們，以我的年紀來說，我算是比較矮的。）

我會說說笑話，直到他們覺得跟我在一起很自在。一旦習慣了我的缺手缺腳，我發現大部分的小孩都超喜歡我的小左腳。他們會指指點點，或是盯著它看，所以我就搖搖小左腳，還開玩笑說這是「我的小雞腿」。通常這會引起一陣哄堂大笑，因爲這麼形容還滿貼切的。

比我小六歲的妹妹蜜雪兒是第一個觀察到這點的人。我們一家人經常開車長途旅行，三個小孩會像一捆木材一樣被放在後座。大部分的爸爸一旦上路就不喜歡停，我們家的也不例外。餓的時候，三兄妹就會用力地暗示爸媽。

實在餓得快抓狂時，我們會假裝互相咬來咬去。有次旅行，蜜雪兒宣布要咬我的小左腳：「因為它看起來像隻雞腿。」我們聽了大笑，後來也就忘了這件事。結果幾年前，蜜雪兒帶了一隻小狗回家，只要我一坐下來，這隻小狗就會來咬我的小左腳，我把牠推開，牠還是一直回來啃。

「看到沒？就連我的小狗也覺得它像隻雞腿耶。」蜜雪兒說。

太妙了！從此以後，我都會在校園演講中跟孩子們提到這個故事。而一旦介紹了我的左腳，我會問小朋友是不是認為我只有一隻腳。這個問題總是讓孩子們大吃一驚，因為他們只看到一隻腳，但是有兩隻腳比較合理啊。

大部分孩子相信自己所看見的，說我只有一隻腳。然後，我就會為他們出示「小小雞腿」，就是我更小的右腳，通常被我收在褲管裡。有時我會伸出右腳、扭兩下，嚇嚇他們，然後他們就會驚聲尖叫。這實在很有趣，因為小朋友真的很直率，馬上就承認要看見才能相信。

然後我會鼓勵他們——就像我現在鼓勵你一樣——去相信生命有各種可能性。在艱困

的時光中，依然能夠前進，關鍵就在於，你不是以能看見的，而是以能想像的事物，來引導你的人生。這就叫作信心。

考驗信心的飛行經驗

我的想像力透過上帝的眼睛湧出。我信任祂，儘管沒手沒腳，我心裡全然有把握自己一定可以打造美妙人生。同樣地，你也應該覺得天下無難事，要相信只要盡全力實現夢想，你的付出終會得到回報。

事成之前，有時我們的信心會受到考驗，二〇〇九年我到南美的哥倫比亞演講時，就有這樣的體悟。那次我被安排要在十天內到九個城市演講，因爲要在短時間內長途奔波，主辦單位租了一架小飛機，載我們往返於不同城市。飛機上坐了八個人，包括兩名都叫米格爾、都不大會講英文的駕駛員。某次飛行途中，機上的人突然聽到電腦驚恐地發出「拉升，拉升！」的自動警示聲，但用的是英文！

電腦繼續記錄我們急速下降的過程，愈來愈緊急地播報不斷降低的高度：「六百呎。」「五百呎。」「四百呎。」中間還一直插播要駕駛「拉升、拉升」的命令。

當場是沒有人嚇呆啦，但客艙裡還是瀰漫著些許緊張的氣氛。我問我的看護，我們是不是應該把電腦發出的警示翻譯成西班牙文，講給米格爾一號跟米格爾二號聽。

「你以爲他們眞的不知道我們正在下降嗎？」他問。

我也不知道該怎麼以爲，但既然其他人都不覺得這是個問題，我就隨眾吧，並且努力別讓自己嚇昏。幸好，我們很快就安全著陸了。之後，一位翻譯跟駕駛員提到我們的驚恐時刻，他們聽了大笑起來。

「我們知道電腦在說什麼，但降落時不會去理它。」米格爾二號透過翻譯說道，「你應該對你的駕駛員更有信心一點，力克！」

好吧，我承認，有一刻我對米格爾們的信心是有點動搖啦，但大部分時間，我因爲相信上帝會照料我的人生，而覺得平穩安定。我給你點線索，好讓你知道我的信心有多強：我在櫃子裡放了一雙鞋子，我眞的相信有一天我能穿上鞋走路。這件事或許會發生，或許不會，但我相信可能性是存在的。如果你能想像一個更美好的未來，你就能相信它；而假如你可以相信它，就能實現。想像無限！

在我十歲那段沮喪期，其實生理上並沒有吃太多苦頭。我是沒有手也沒有腳，但我擁有能讓我過著今天這種報償豐富且圓滿的人生所需的一切——只差一樣。那時的我只相信眼睛看得到的，因此把注意力放在我的限制，而不是我的可能性。

人都有所局限。我永遠不可能成爲NBA球星，但沒關係，因爲我可以鼓舞人們做他自己生命中的明星啊。你不應該看著你所缺乏的過日子，相反地，你應該去過「只要敢夢想，什麼都做得到」的人生。即使遭遇挫敗或悲劇，通常也會有意料之外、全然不可能的好處等在那裡。或許不是馬上發生，所以有時你也會懷疑挫敗或悲劇中怎麼可能會有好事。但是，你要相信一切最終會有好結果——即使悲劇也能變成勝利。

只剩一隻手的衝浪女孩

二〇〇八年我到夏威夷演講時，遇到了世界級的衝浪高手貝詩妮．漢米爾頓（Bethany Hamilton）。她在二〇〇三年被一隻虎鯊攻擊，失去左手臂，那時她十三歲。在鯊魚攻擊事件之前，貝詩妮在衝浪界早就很有名了；而慘劇發生後，她還是回到了這項運動，並感恩上帝的祝福，如此勇敢的心靈與堅定的信心讓她贏得國際尊敬。如今她和我一樣旅行全球，鼓舞人們，並分享她的信仰。

貝詩妮說她的目標只是要「告訴人們我對上帝的信心，讓大家知道祂愛所有人，並解釋事發當天，上帝是如何看顧著我。若不是上帝，我現在根本不會站在這裡，因爲那天我

流失了高達百分之七十的血」。

碰面之前，其實我對她那天的事並不完全清楚，也不知道這位令人景仰的年輕女性曾如此接近死亡。事發後，大家把她送到一家四十五分鐘車程外的醫院。她告訴我，一路上她是如何禱告，而醫護人員又是如何在她耳邊信心喊話，鼓勵她：「上帝永遠不會拋棄妳！」

情況看來很慘。當他們抵達醫院，並火速準備好要替貝詩妮動手術時，才發現每一間手術室都在使用中，而貝詩妮正迅速陷入昏迷狀態。但有個病人放棄自己即將進行的膝蓋手術，好讓他的醫生可以替貝詩妮開刀。猜猜看，那個病人是誰？

貝詩妮的父親。

很讓人吃驚吧？當時外科醫生已經準備就緒，所以醫護人員直接把爸爸換成女兒，然後繼續進行。手術救了貝詩妮一命。

貝詩妮一直是個健康的運動型女孩，又有驚人的正面態度，所以復元的速度超乎醫生預期。受傷後三個禮拜，貝詩妮又開始衝浪了。

和她碰面時，貝詩妮告訴我，對上帝的信心讓她斷定，失去手臂也是上帝對她人生計畫的一部分。因此她並不自憐，而是接受這個結果，並繼續往前走。受傷後的第一次比賽，貝詩妮跟來自世界各地的女性衝浪高手競技，結果拿到第三名——她只有一隻手喔。

貝詩妮說失去一隻手在很多方面看來都是個祝福，因爲如今她參加任何比賽，若是得到不錯的成績，就能發揮激勵作用，讓別人知道他們的人生也可以像她一樣不受限制。

「上帝確實回應了我想被祂使用的禱告。當大家聽我的故事時，上帝就在對人們說話。」貝詩妮說道，「人們告訴我，他們因此更接近上帝，開始相信上帝，並在自己的生命中找到希望，或者得到激勵，以克服困境。聽到這些，我就讚美神，因爲我沒有爲這些人做什麼——幫助他們的是上帝。身爲上帝計畫的一部分，眞的讓我熱血沸騰！」

貝詩妮不可思議的精神讓人忍不住也變得熱情洋溢。如果她受到鯊魚攻擊後，就退出衝浪界，應該沒什麼人會怪她吧。失去一隻手之後，她必須重新學習在衝浪板上保持平衡，這並沒有讓她卻步。她相信，就算發生了什麼可怕的事，還是會帶來美好的結果。

熱情洋溢的衝浪黑狗兄

每當生活出狀況，並一點一點啃蝕你的計畫或夢想時，請想起這個神奇女孩的信心。衰事總會發生。我們偶爾會被一些意想不到的浪打到，你的問題可能不會是鯊魚，但無論是什麼擊倒了你，想想這位勇敢的十多歲女孩吧，她不但在被自然界最兇猛殘酷的掠奪者

攻擊之後活了下來，還恢復健康，比以往更堅定地過著一個非凡的人生。

貝詩妮大大鼓舞了我，所以我請她幫助我做一件我一直想做的事——我問她願不願意教我衝浪，而讓我驚訝的是，她立刻提議帶我去威基基海灘。

想到可以在夏威夷的國王和皇后們第一次騎在浪頭上的歷史地點學衝浪，就讓我超級興奮，當然也非常緊張。當貝詩妮在爲我準備的長板上打蠟（❷）時，她介紹了兩位衝浪明星——東尼．莫尼茲（Tony Moniz）和藍斯．胡卡諾（Lance Ho'okano）——給我認識，他們也會一起下水。

我說過，當你懷疑自己能否實現人生的目標時，請信任那些願意助你一臂之力，以及能夠指引你的人。這就是我爲了學會衝浪所做的，我不可能有更好的衝浪夥伴了。他們先教我在草皮上練習如何在板子上保持平衡。

他們輪流陪我，教導我、鼓勵我。當我們衝進海浪時，我突然有個讓人驚慌的想法：我們兩個人加起來只有三肢——而且，全部都是貝詩妮的耶！我很愛當個衝浪黑狗兄，而且我很會游泳，所以也不怕水，但我還是不太確定，就算有專家幫忙，我可以在浪頭的衝擊下保持平衡嗎？有一次，老師在我的衝浪板上時，我做了個三百六十度的迴轉；還有一次，我在衝浪時跳下自己的板子，然後跳上貝詩妮的衝浪板！

很自然地，我想要靠自己秀一下——沒辦法，我就是愛現。最後，大家都同意我可以

來場個人秀。為了讓我在追到浪時可以自己站起來，他們折了幾條毛巾，做成小平臺，放在我的衝浪板前方，這樣我在波浪中加速時，就可以把肩膀靠著這個毛巾平臺，然後慢慢直立起來。有志又有浪，成功在前方！

當天在威基基海灘有個衝浪比賽，人群開始聚集，全都看著我們。這些專家給了我不少建議——雖然他們的建議讓我更加緊張。

「你真的要下水啊，老兄？」

「老兄，我搞不懂你沒手沒腳，要怎麼保持平衡？」

「你會游泳嗎，老兄？你游得比鯊魚快嗎？」

下水後，我感覺好多了。我很輕，所以漂浮跟游泳都不成問題。我還很容易漂流，所以最後會到哪裡去，我也不知道，說不定我會一路漂回澳洲，被沖進我爸媽家的後院。

那天真是快活啊。貝詩妮在水中陪著我、鼓勵我，但一開始我試著要追浪並站起來時，一直從衝浪板上掉下去。我試了六次，掉了六次。

不，我不能放棄。那麼多人在看，還有一堆相機在那裡照個不停，我可不想被放到YouTube上面，然後影片標題寫著「撐不住兩個浪頭的身障黑狗兄」。小時候我整天在溜滑板，所以對板子還滿能掌握的。終於，在第七次嘗試時，我追到一個大浪，並成功地在板子上站了起來。那個感覺真的超刺激，所以我不諱言，當我站在衝浪板上，一路進入海

灘時，我像個小女生一樣尖叫了起來。

當我衝進海灘時，每個人都在看，並且對著我歡呼、吹口哨。我整個人都熱起來了——這個我很清楚，因爲每個人都衝著我說：「老兄，你眞是個火熱的黑狗兄！」

接下來的兩個小時，我們追了一道又一道的浪，來回將近二十趟。因爲比賽的關係，岸邊有好幾位攝影師，結果我成了第一個登上《衝浪客》雜誌封面的菜鳥衝浪客。結束水上美好的一天之後，我擦乾身體。

稍後，藍斯·胡卡諾在訪問中提出一個有趣的看法：「我已經在這個海灘上待了一輩子，卻從沒參與過這種事。力克是我見過最熱情洋溢的人，他眞的愛衝浪，他的血管裡流的就是海水。這件事讓我覺得，一切都是可能的。」

請抓住這個想法：一切都是可能的。當你覺得自己被某個巨大的挑戰摧毀了、打敗了，請相信任何事都是可能的。當下你也許看不到出路，也許覺得全世界都聯合起來跟你唱反調，但請你相信，環境會改變，答案會出現，而你會獲得意想不到的幫助。然後，任何事都會有可能！

如果一個沒手沒腳的傢伙也能在全世界最頂尖的海灘衝浪，那麼任何一件事對你都是有可能的！

★★小時候我就已經是個可能主義者

撒種的比喻是《聖經》裡最爲人所知的故事之一，說的是有個農夫到處去撒種，有些種子撒落在路旁，被鳥吃掉了；有些種子落在石頭上，永無扎根的機會；有些則落在荊棘裡，被擠住了，長不起來；只有落在好土裡的種子順利成長、結實百倍，並且長出比原來所播撒的更多的種子（❸）。

我們的一生不只要接收種子，還要將之栽種在內心的「好土」裡。被困難擊倒時，我們可以依靠擁有更美好人生的夢想。這些夢想就是即將到來的事物的種子，而我們的信心就是這些種子發芽的沃土。

愛我的人常常鼓勵我。他們將種子播在我的心田裡，向我保證我擁有讓他人受惠的福分。我有時相信，有時不信，但他們從未放棄我。那些愛我的人知道，他們的種子有時撒在石頭地上，有時則撒在荊棘裡，然而他們相信，撒出去的種子總有些會生根。

每天早上我要出門上學時，家人都在播撒種子：「祝你有美好的一天，力克！盡你所能，其他的上帝會幫忙。」

我有時會想：「是啦，上帝的幽默感可眞爛，因爲今天我肯定會被欺負。」

果然，當我推著輪椅一進入學校，就會有某個笨蛋跟我說我的輪椅爆胎了，或是他們要把我拿去當圖書館的門擋之類的。哼，很好笑。

在那些讓人洩氣的日子裡，爸媽支持我的話就像落入了劣土之中，得不到什麼滋養，因爲我對自己與生俱來的狀況實在太不滿了。

但是在我的「浴缸事件」之後的幾個月、幾年間，他們的鼓勵愈來愈常落到富饒之土上，部分原因是我以堅毅、外向的個性贏得同學的心。當然，我還是會有情緒低落的時候，不過愈來愈少了。

偉大的勵志作家諾曼．文生．皮爾（Norman Vincent Peale）說過：「要成爲『可能主義者』。無論你的人生看起來多黑暗，請拉高你的視野，看看有什麼可能性。你總是會看到可能性，因爲它們一直都在。」

你應該要永遠是個「可能主義者」。如果不相信生命的可能性，你會在哪裡？我們任何一個人又會在何處？對未來的期望提供了動能，讓我們得以在無法避免的艱困時光、沮喪與絕望中繼續前進。

早年的我已經流露出可能主義者的傾向。大約六、七歲時，我創作了第一本圖文書，書名是「沒有翅膀的獨角獸」。我這個概念沒有什麼高深的奧義，但我必須說，來自我自身經驗的這個小寓言還是提供了一個跟信心有關、很不錯的訊息。（別擔心，故事很短，

因爲寫作時我才六歲啊。）

從前有隻媽媽獨角獸有個小孩。小獨角獸慢慢長大了，牠沒有翅膀。

媽媽獨角獸說：「牠的翅膀怎麼啦？」

當獨角獸去散步時，看見獨角獸們在天空飛翔。然後，有個小男孩跑過來問獨角獸：「你的翅膀怎麼啦？」

獨角獸回答：「我生來就沒有翅膀，小男孩。」

於是小男孩說：「我會試著幫你做一對塑膠翅膀。」

他花了一個小時爲獨角獸做翅膀。

完成之後，小男孩問獨角獸可不可以爬上牠的背。獨角獸說：「好，可以。」

於是他們跑了一陣子，然後獨角獸開始飛了。獨角獸大叫：「有用耶，行得通耶。」

當獨角獸停下來後，男孩從牠的背上走下來，然後獨角獸又回到空中。男孩對獨角獸說：「恭喜啊，獨角獸！」

小男孩回家了，並且把獨角獸的事告訴媽媽和兄弟姊妹。

從此，獨角獸過著幸福快樂的生活。

謝謝收看。

我們都希望從此過著幸福快樂的生活。即使你相信自己可以對付困難時刻、品味美好時光，沮喪還是會出現。但是，幸福快樂的結局應該永遠是你的目標，那為什麼不去努力爭取呢？

耐心會獲得回報

我和我的團隊做了個計畫，想在二〇〇八年進行「走向世界之旅」，目標是訪問十四個國家。計畫初期，我們設定了預算，並發起募款活動，希望募集資金，以支付旅行的費用。那時我們沒有專業的募款人員，所以離目標還有一大段距離，大約只募集到所需費用的三分之一。

我依然照計畫展開行程，去了哥倫比亞、烏克蘭、塞爾維亞和羅馬尼亞。回來後，我的顧問們很擔心接下來沒錢進行剩下的訪問計畫。

我叔叔貝塔是個成功的企業家，也是我們董事會的成員。他斷然取消我接下來行程中的兩個主要地點，倒不只是因爲錢。

「我們接到愈來愈多報告說印度不是很安全，不適合旅行，尤其是孟買。還有印尼也是。」他說，「反正我們經費也不夠，這些地方就下次再去吧。」

我叔叔是個有智慧的人，我沒有和他爭論。我告訴他我信任他，然後依約前往佛羅里達演講。那場演講因爲大爆滿，所以動用了四百五十位志工。我去那裡是要激勵大家，但我的聽衆用他們的熱情給了我力量。我在佛羅里達收到的熱烈回應鼓勵了我，讓我在回加州的途中一直想著，我還是應該按照原來的計畫，進行世界巡迴演講。

我不斷地禱告，尋求上帝的指引。儘管經費不足，又有安全疑慮，我還是覺得應該去印度和印尼。我相信我們可以服事他人，剩下的部分自然會有解決之道。貝塔叔叔邀請我去他家吃飯，討論我想憑藉信心而不是資金進行接下來行程的事。

在用餐途中討論到這件事情時，我的情緒變得很激動，覺得這是一件我非去做不可的事。貝塔叔叔很了解我，也知道我希望盡我所能地將訊息帶給他人的那份動力。

「那我們就看看接下來的幾個禮拜，主要如何帶領我們。」他耐著性子說。

遇到困難不要放棄，不要蠻幹，也不要逃開。請評估情勢，尋找解決方案，並且相信：無論發生什麼，都是爲了最終的美好結果。耐心是基本的。你撒下種子，經歷暴風

雨，然後等待豐收。請相信每個阻礙都有作用，然後去尋找最好的解決方案。

當完成世界之旅的經費不夠時，我們並沒有急著出門，去花那些我們所沒有的錢。相反地，我們禱告，尋求解答，並且相信：如果門現在一直關著，總有一天會向另一個機會敞開。

重點是，只要不停尋找，你就會找到一條路。或許你必須根據現實調整目標，但只要還有一口氣在，你就應該記住，可能性一直都在。

話說回來，我想告訴你一件事：在為了該如何替接下來的旅程籌措經費而禱告時，我們並沒有得到單一的回應，但發生了一連串令人驚奇的事。

跟貝塔叔叔吃過晚餐幾天後，有一位叫布萊恩．哈特的男士跟我們連絡。他聽了我在佛羅里達的演講，打電話來致贈了一大筆錢給我們的基金會。

接著我們接到印尼連絡人的電話，說為了我們把香港的兩座體育場租出去了，所以如果我們去印尼，旅費就由他們負責。

又過了兩天，一個位於加州的慈善組織提供了更大一筆錢，足以支付我們其餘旅程的費用！

短短幾天內，世界之旅的經費已不成問題。雖然有幾個地方還是有安全疑慮，不過，就讓我們相信上帝吧。

被迫變動的行程救了我的命

記得我說過，一切都是爲了最終的美好結果吧？先前因爲經費不足，我們必須更動去印度的計畫；後來錢沒問題了，我們便重新安排行程，結果比原定要去的時間還提早一個禮拜出發。

這項變動可能救了我們的命。離開孟買幾天後，我們行程裡的三個地點便遭到恐怖分子攻擊。那次的恐怖攻擊行動總共造成一百八十人喪生，三百人受傷。

若按照原來的計畫，我們停留在孟買的時間、地點，正好會遇上恐怖攻擊。你可以說我們命大，但我相信上帝對此有著我們無法了解的計畫。這就是爲何你必須對未來有信心，在即使看來勝算不大時，還是要繼續朝著目標前進。

努力開創豐收人生的英雄

生活也許艱辛、也許變得殘酷無情，但你應該堅持下去。剛來到這個世界時，我的一切看來毫無希望，但我努力開創出豐收的人生。如果你認為我只個例外，那麼請看看我的英雄之一克利斯帝．布朗（Christy Brown）的成就。

克利斯帝一九三二年出生於愛爾蘭的都柏林，在家排行第十——他父母的二十二個孩子中，只有十三個順利長大。克利斯帝出生時四肢健全，但嚴重癱瘓，讓他無法移動，只能發出聲音。當時醫生都不知道他到底怎麼回事，多年後，他才被診斷出有特別嚴重的腦性麻痺。

因為克利斯帝說話不清楚，多年來，醫生一直認為他的智力也有障礙，但是他媽媽堅持他腦子沒問題，只是無法與人溝通。克利斯帝的家人不斷跟他一起努力，然後有一天，為了讓姊姊了解他的意思，克利斯帝用左腳從她那裡抓來一枝粉筆——因為身體上的障礙，他全身上下只有這裡能動。

之後，克利斯帝學習用左腳寫字、畫圖。他的家人跟我家一樣，下定決心要讓他盡可能過正常的生活，於是把他放在一部舊嬰兒車裡，拉著他到處跑（大一點之後，就把他放在推車上）。另外，他也和我一樣熱愛游泳。後來，克利斯帝的媽媽透過一位醫生的協助，將他送到約翰霍普金斯醫院。這位醫生後來為克利斯帝和其他腦性麻痺人士創辦了一家醫院。

他也把克利斯帝介紹給文壇，幾位愛爾蘭知名作家鼓勵克利斯帝以詩人和作家的身分表達自己。他的處女作《我的左腳》是一本回憶錄，後來擴充成爲暢銷小說《那些低潮的日子》，並改編成電影，由丹尼爾．戴—路易斯主演（他是克利斯帝某位文友的兒子）。戴—路易斯因爲這部片子，得到奧斯卡最佳男主角獎。克利斯帝後來又出版了六本書，另外，他也是一位積極創作的畫家。

想想看，在好一段漫長而黑暗的日子裡，克利斯帝和他的家人都在煩惱他的未來。他整個受苦的身體只有一小部分能動、只能發出幾個聲音，然而他成了知名的作家、詩人和畫家，而且他不凡的人生還被改編成一部得獎電影！

生命中有些什麼在等著你呢？何不留下來，看看你的人生故事會如何開展？

打開眼界，知道我的人生充滿可能性

小時候，我的眼界非常有限。我很自我中心，從來沒想過會有人狀況比我還糟，例如克利斯帝．布朗。後來大概十三歲時，我在報上讀到一個澳洲男人的故事，他遇上一場可怕的意外。我記得他是整個人癱瘓，不能動也不能講話，餘生只能躺在床上。我無法想像

那是多麼可怕的生活。

那個男人的故事打開我的眼界。我這才了解，儘管缺少四肢為我的生命帶來挑戰，我仍有許多值得感謝之處，我的人生還有那麼多可能性。

相信命運會帶來巨大的力量，你能因此移動高山。我是逐漸醒悟到人生充滿豐富可能性的。十五歲時，我聽說了〈約翰福音〉裡那個盲人的故事。他生來眼盲，耶穌的門徒看到他時問耶穌：「他天生看不見，到底是因為他犯了罪，還是他父母犯了罪？」

同樣的問題，我也問過自己：「我爸媽做了什麼不對的事嗎？我做錯了什麼嗎？為什麼偏偏是我生來沒手沒腳？」

耶穌回答：「也不是這人犯了罪，也不是他父母犯了罪，是要在他身上顯出上帝的作為來。」（❹）

當瞎眼男人聽到這個解釋後，他人生的憧憬和可能性頓時發生劇烈變化。你可以想像青少年時期的我對這個故事產生了多大的共鳴，那時我很清楚地意識到自己跟別人不一樣，知道自己身體有障礙，生活處處得靠別人。

但突然間，我看到一種可能性——我不是別人的包袱、不是有缺陷的，也沒有受懲罰。我是上帝的特製品，用以顯明祂的作為。

十五歲讀到那節經文時，一陣我從未體驗過的平靜掃過心頭。我一直在問為什麼我生

來就沒有四肢，但現在我了解到，除了上帝，沒有人知道答案。我只要接受這件事，然後相信祂為我預備了種種可能性。

沒有人知道我為何天生肢障，就像沒人知道為什麼那個人會生來眼盲。耶穌說，這是為了顯明上帝的作為。

《聖經》裡的那些話帶給我喜樂和巨大的力量。我第一次知道，我無法理解為什麼我沒有四肢，不代表造物者遺棄了我。瞎眼的人得到醫治，以完成上帝的目的；我沒有被治癒，但我相信上帝對我的目的總有一天會顯現出來。

你要知道，有時你並不會馬上得到你所尋求的答案，但請憑藉著信心往前行。我必須學著相信人生有種種可能性，而如果我能擁有這樣的信心，你也可以。

想想看，當我還是個孩子時，根本不可能知道，我竟然會因為沒有四肢，而有機會到那麼多國家帶給許多人充滿希望的訊息。艱困的時光與種種沮喪並不好玩，你不必假裝很享受，但請你相信前方可能會有更美好的日子，有一個圓滿而充滿意義的人生。

讓我決定成為演說家的種子

我第一次親眼目睹「相信你的人生命定」⑤的力量，是高中時聽一位叫瑞基·達伯斯（Reggie Dabbs）的美國激勵講師的演講。那天他的任務實在很艱難，因爲有一千四百個孩子來聽講，空氣又熱又黏，音響設備爛透了，有時發出爆裂聲，有時劈啪作響，有時乾脆停擺。

聽衆原本靜不下來，但後來被瑞基的故事完全吸引。他說他是路易斯安那州一位妓女未婚懷孕的小孩，十多歲的小媽媽原本打算墮胎來解決這個「小麻煩」，但幸好她後來決定生下瑞基。懷孕之後，她就沒有家人，也沒有地方住，於是就搬進一間雞舍。

某天晚上，她蜷縮在雞舍裡，覺得害怕又孤單，於是想起以前一位非常富有同情心的女老師，老師說過如果需要幫助，可以打電話給她。那位老師就是達伯斯太太。達伯斯太太從田納西州的家開車到路易斯安那州，把這個懷孕的少女帶回家。她和先生有六個小孩，都已經成年，他們決定收養瑞基，讓他姓達伯斯。

瑞基說，這對夫婦灌輸給他堅定的道德價值觀。他們教會他最重要的事情之一，就是無論身處何種情況或環境，他永遠可以選擇要用負面或正面的方式回應。

瑞基告訴我們，他幾乎都能做出正確的決定，因爲他相信自己人生中的各種可能性。他不想使壞，因爲他知道生命中有許多好事在等著。瑞基有一段話深得我心：「你永遠無法改變過去，但你能改變未來。」

我把瑞基的話聽進去了。他感動了我們所有人，也在我心中撒下一顆種子，讓我想成為演說家。這個謙卑的人在短短幾分鐘內，就可以對一大群躁動不安的孩子產生正面影響，我非常喜歡這樣的事。然後我想到他搭飛機繞著地球跑，到處跟人演講，這也很酷——他給人帶來希望，然後還有收入耶！

那天放學時，我心想：「或許有一天我也能像瑞基一樣，有個好故事可以跟人分享。」

我想告訴你，或許你現在尚未找出一條路，不過，你沒看見不代表它不存在。請抱持信心，你的生命故事還有待開展，而我知道那肯定會是不可思議的精采篇章。

注❶：《聖經》希伯來書第十一章第一節。
注❷：在衝浪板上打蠟是為了止滑。
注❸：《聖經》路加福音第八章第五至八節。
注❹：《聖經》約翰福音第九章第一至三節。
注❺：命定指的是相信上帝對你的生命有一個得勝的計畫，而人生就是實現與實踐這個命定的過程。

第四章

愛上不完美的自己

我認定我的美就在於我的「不同」。我就是獨一無二的我，從來不會有人認為我很「一般」，或者叫我「另一個傢伙」。在人群中，我站起來可能不高，但肯定很醒目。

我曾在一次巡迴東南亞時，在新加坡對超過三百位企業領袖和創業家演講。演講結束、禮堂也清場後，一位高貴的男士跑來找我。從外表看來，他就跟剛才任何一位聽眾一樣，成功且充滿自信，所以當我聽到他的第一句話時，覺得非常驚訝。

「力克，幫幫我。」他懇求著。

隨後我知道，這位事業有成的男士擁有三家銀行，但是他謙卑地請我幫助他，是因為財富無法讓他避免他正在經歷的極端痛苦。

「我有個很棒的女兒，今年十四歲。不知為了什麼可怕的理由，每次她看到鏡子裡的自己，都說醜死了。」這位父親說道，「她完全看不到自己的美好，這眞的讓我傷透了心。我該如何讓她看見我所見到的呢？」

這個男人的悲痛很容易理解，因為對父母來說，最難承受的就是看著自己的兒女受苦。他正試圖幫助女兒擺脫「自我厭棄」，這是非常重要的，因為如果年輕健康時都無法接受自己，那麼等到年紀大了，身體又有病痛時，該怎麼辦呢？而且如果隨隨便便就厭惡自己，以後也很容易因為上百個任性且毫無價值的理由而討厭自己。如果你一直把注意力放在缺點，而不是你的長處上，青春期的不安會讓人掉入向下的螺旋之中。

《聖經》告訴我們，人是「奇妙可畏的受造物」（❶），那麼，為何愛自己本來的樣子，會是如此困難？為什麼我們常常覺得自己不夠美、不夠高、不夠瘦、不夠好？我相信

這位新加坡父親一定用了非常多的愛與讚美，試圖爲女兒建立自信與自尊。父母與愛我們的人可能費盡一切心力，要讓我們變得更堅強、更有自信，結果同學或主管、同事一句惡劣的批評，就讓他們前功盡棄。

當我們讓別人的意見左右我們對自己的感受，或是去跟別人比較時，就會變得脆弱，並落入受害者心態。當你不願接受自己，也就不太願意接受別人，結果只會導致孤獨與孤立。有一次，我在對一群青少年演講時提到，想要讓自己更受歡迎的渴望，其實常常會讓人排斥那些比較不引人注目或不是運動健將型的孩子。爲了更清楚地說明我的觀點，我提出一個很直接的問題：「你們有多少人會想跟我作朋友？」

還好，大部分人都舉手了。

接著我又丟出另一個讓他們很困窘的問題：「所以，我長得怎麼樣沒關係，對不對？」

我讓現場的孩子們思考幾分鐘。我們剛剛才談到爲了融入同儕，現代青少年花了太多時間在煩惱該如何穿衣服、該剪什麼樣的酷髮型、體重不要太重也不要太輕、膚色不要太黑也不要太白之類的事。

「你們怎麼會想跟一個沒手沒腳的傢伙作朋友——他應該是你們碰過最怪的傢伙——但是卻不理某個同學，只因爲他沒有穿對牛仔褲，沒有乾淨的膚色或標準身材？」

當你用嚴苛的標準評斷自己，或是在自己身上加諸強大的壓力時，就很容易批判他人。當你像上帝愛你一樣地愛自己、接納自己，就打開了通往平靜與圓滿的大門。

青少年與年輕人背負巨大壓力，似乎全球皆然。我曾應邀到中國與南韓演講，因爲這些發展快速、辛勤工作的國家出現了日益嚴重的憂鬱和自殺現象，讓我很擔心。

一百年前，南韓幾乎沒有基督徒；如今根據估計，當地四千八百萬的人口中，有三分之一自認是基督徒。然而，即使在屬靈方面有如此大的成長，因爲長時間工作的關係，這裡的人仍然活在高度壓力中。校園裡的壓力也很大，許多年輕人認爲，只有「第一」才值得追求，所以讓自己繃得很緊；如果不能到達頂尖的位置，他們就覺得自己輸了。我告訴南韓的學子，即使考試沒過，也不會讓他們變成失敗者。在上帝眼中，每個人都有價值，我們應該像祂愛我們一樣愛自己。

我所宣揚的愛自己與接納自己，並不是指自私、自負。這種愛自己的形式其實是「沒有自己」（self-less）──你的付出超過你所得到的；不等別人要求就自動供應；擁有的東西不多時依然與人分享；你藉由帶給別人歡笑而找到快樂；你愛自己是因爲你不是只在意你自己；你對自己原本的樣子很滿意，因爲你讓別人很高興在你身旁。

但假如你就是無法愛自己，因爲沒有人愛你呢？我想，這是不可能的。你知道的，你我都是上帝的孩子，我們都擁有祂無條件的愛、祂的憐憫和祂的寬恕。每個人都應該愛自

己，了解自己是不完美的，並原諒自己的過錯，因爲上帝已爲我們做了這一切。

我曾經在南美哥倫比亞的一個勒戒中心演講，聽衆包括吸毒者和曾經有過毒癮的人，他們幾乎不尊重自己身爲人的價值，以至於用毒品摧毀人生。我透過翻譯向他們保證，無論已經吸毒多久，上帝都無條件地愛他們。聽到我這樣說，這些人的臉上有了光采。如果上帝願意赦免我們的罪、像那樣愛我們，爲什麼我們不能原諒自己、接納自己？

就像那位新加坡銀行家的女兒一樣，這些哥倫比亞的毒癮者也迷失了；他們因爲某些理由貶低自己，覺得自己不配擁有最好的人生。我告訴他們，每個人都值得擁有上帝的愛，如果祂赦免我們、愛我們，我們也應該原諒自己、愛自己，然後盡全力追求最美好的人生。

當耶穌被問到最重要的誡命是什麼時，祂回答，第一條是盡心、盡性、盡意、盡力去愛上帝，第二條是要愛鄰舍如同愛自己（❷）。愛自己並非自私、自滿或自我中心，而是將你的生命視爲一份禮物，好好地照顧與分享，爲人們帶來祝福。

不要執著於自己的不完美、失敗或錯誤，而是要把焦點放在你所領受的祝福，以及你可以做出的貢獻，無論貢獻的是才華、知識、智慧、創意、勤奮，或是一個滋養人心的靈魂。你不必爲了達到別人的期望而活；你可以定義自己的完美。

自戀不叫作愛自己

精神病學家兼作家伊莉莎白．庫伯勒—羅斯（Elisabeth Kubler-Ross）說過人好像彩繪玻璃窗：「當外頭有陽光時，玻璃窗看來閃閃發亮；然而一旦黑夜來臨，只有從裡面發光，它們眞正的美才會顯露出來。」要活得無所局限，特別是要戰勝沮喪、藥癮、酒癮或其他重大挑戰，你必須打開內在的燈光。你要相信自己的美好與價值，相信你是個可以發揮影響力的人、是個重要的人。

找到自己的目的，是活出沒有限制的人生的第一步。而即使面對困難，依然對未來抱持希望、對生命的各種可能性懷抱信心，則會讓你繼續往目標邁進。但要實現夢想，你內心深處必須相信自己值得擁有成功與幸福；你必須愛自己，就像上帝愛所有對自己忠實的人。

我有個朋友對自己很滿意，總是很平和，而且熱情地發展自己的天賦，所以時時散發出美好的感受。我喜歡跟他在一起，每個人都喜歡，爲什麼？因爲他由內在發光。他喜歡自己，但不是會讓人覺得「你眞跩」的那種喜歡；他相信自己是個蒙福的人，即使事情不順心、即使他像你我一樣苦苦掙扎時，依然如此。

你一定認識這種會散發愉悅氣息的人，就像你可能也會認識完全相反的人，他的苦毒和自我厭惡讓每個人都想逃開。假如不接受自己，不但會導致自我毀滅，還會被孤立。

如果你沒有從內在發光，可能是因爲你仰賴別人給你肯定、給你信心、讓你覺得自己被賞識。但這條路一定會走向失望，因爲你必須先接受自己才行。衡量你身爲人的美好與價值唯一的基準，在你的內在。

我知道說的比做的簡單，我自己也有過掙扎。由於父母是基督徒，我從小就被教導耶穌愛我，而我是上帝按祂計畫所造的完美創作。不過，只要某個流鼻涕的小鬼向我衝過來、對我大叫「你是怪物」，爸媽的《聖經》教誨，以及家人爲了鼓勵我所做的一切努力，馬上就垮了。

生命可能會很殘酷。人們也許是不爲他人著想，或者單純就是壞，所以你必須向內尋求力量；如果內在力量不行，你總是可以向上仰望上帝，祂是力量與愛的終極源頭。

接納自己與愛自己非常重要，不過，這兩個概念近來卻常常被誤解。你應該因爲自己反映了上帝的愛、因爲自己來到這個世界是要做出獨特貢獻而愛自己。有太多青少年和成年人接受了一個比較膚淺的涵義，認爲接納自己與愛自己就是自戀或自我耽溺，這是因爲實境秀、電影、播客和網路影片不斷地推銷對美貌與名流的崇拜。你在看那些節目時，很容易就會忘了人生有比美貌、奢華生活和勾搭上某人更重要的目的。無怪乎愈來愈多名流

出現在勒戒中心而不是教會，他們有太多人崇拜的是錯誤的虛榮、驕傲與放縱之神。

我無法想像過去有哪個世代像現在一樣，被滿滿的謊言包圍。我們成天被這樣的訊息轟炸：你必須有某種外型、某種車子、某種生活型態，人生才算圓滿、成功，才會有人愛你、欣賞你。許多人認為拍色情影片是通往名聲、財富和成就的捷徑，這種現象讓我們的文化岌岌可危。

如果狗仔隊有興趣的對象是努力求知、獲取更高學歷的大學生，或是把藥品和希望帶到貧困地區的宣教士，而不是去跟蹤那些前科累累、身上布滿針孔、多次進出勒戒中心的人，你覺得這樣是不是好多了？但這個世界還沒有徹底迷失，因為我看到許多男女老少去參加宗教儀式和節慶，透過學習愛鄰舍來尋求滿足；我看過青少年和成年人利用假期，到第三世界國家幫人蓋房子，到北美一些貧困地區服務有需要的人。所以，並非每個人都沉迷於整型、抽脂減肥和LV包包。

當你被物質事物和表相的美麗困住、當你讓別人決定你的價值時，你就是過度地自我放棄，也浪費了你所領受的福分。有個叫克莉絲蒂的女孩在看過我的DVD之後，寫信給我：「你讓我明白，如果不愛自己，別人愛你又有何意義？我大約一年前看過你，這是第二次，我覺得應該讓你知道你對我的影響。你教會我要為自己站起來、要愛自己本來的樣子、要照我想要的方式過生活……現在，我對自己的感受已經改變了，男友也注意到我的

大轉變，他非常感謝你。以前他一直很怕我有一天會做傻事，殺了我自己。但現在我已經改變，人生快樂很多了！」

找出一個你喜歡自己的地方，一個就夠

我的話能夠引起克莉絲蒂的共鳴，是因爲我也曾經像她一樣。七歲時的某一天，我在學校過得特別痛苦，經歷了排斥與沮喪；回到家後，我瞪著鏡子看了幾個鐘頭。大部分青少年擔心的是青春痘或頭髮順不順，這些問題我都有，除此之外，我還缺少四肢。

「我眞是個長相怪異的傢伙。」我想著。

悲傷淹沒了我。我縱情自憐了五分鐘，接著內心深處有個聲音說道：「好啦，就像媽媽說的，你就是少了幾個零件，但你有些地方也很好啊。講一個，有膽你就講一個。只要一個就夠了。」

我看著鏡中的自己好一會兒，最後終於想到一件正面的事：

「我的眼睛不錯，有女生說過我的眼睛很好看。就算沒別的，我還有這個，而且沒人能改變這一點！我的眼睛永遠不會變，所以我永遠都會有漂亮的眼睛。」

當你因為受到傷害，或是被人欺侮、鄙視而情緒低落時，就去照鏡子，然後找出一個你喜歡自己的地方。不一定是長相，也可能是才華、性格，反正就是能讓你對自己感覺良好的特質。然後花一些時間好好思考你這個特點，對它表達感激，並且要知道，你的美好與價值來自於你被創造成一個獨特的人。

不要自我放棄，說自己「沒什麼特別的地方」。我們對自己太嚴苛了，特別是不當地拿自己去和別人比較時。我跟青少年談話的時候就特別注意到這一點，好多孩子覺得自己很矬，要不然就是覺得沒人會愛他。

所以在學校或青年團體演講時，我常常向在場的青少年強調：「我愛你們本來的樣子。在我看來，你們漂亮得很。」

這些簡單的話從我這個長相怪異的陌生人口中講出來，似乎總能激起一陣漣漪——事實上，這些話引起相當大的反應。

典型的反應是從一陣隱約的啜泣聲或壓抑住的吸鼻子聲音開始，我會看到一個女孩低著頭，或是一個男生用手捂住臉。接著，強烈的情緒彷彿會傳染似地橫掃整個演講會場。眼淚從那些年輕的臉龐滑落，肩膀因為想抑制啜泣聲而顫抖；女孩們依偎在一起，男孩子則離開會場，不想讓人看到他們的臉。

頭幾次發生這種情況時，我嚇了一跳，心想這是怎麼回事？他們的反應怎麼這麼激

烈？

我的聽衆解答了我的疑惑。演講結束後，不分老幼都排隊要擁抱我、分享他們的感受。通常這個隊要排上好幾個小時，反應熱烈。

現在的我可以算是個帥哥，不過人們可不是衝著我的瀟灑，才花幾個鐘頭排隊等著抱我。眞正吸引他們的是，我擁有許多人生命中欠缺的兩項強大力量：無條件的愛與自我接納。

我收過許多email和信件，也跟很多人聊過，老少都有。這些人都曾經想過要自殺，因爲他們失去了愛自己的能力。當你受到傷害時，會築起高牆，免得再被傷害一次，但是你不能在心的周圍築起一座內在的牆。如果你可以愛自己原來的樣子、愛自己內在或外在天生的美，人們會被你吸引，然後也看見你的美。

愛自己愛到可以嘲笑自己

親朋好友會說我們很好看、他們愛我們、困難的階段就要過去了等等，一天可以說上一百次，但我們常常不在乎這些支持的話，非要抓住傷痛不可。我有好一段時間也是這

樣，爸媽常常得花好幾個禮拜來消除某一兩位嘲笑我的小孩所造成的傷害。然而，當有個跟我同齡的人終於向我伸出手時，我轉變了。記得以前班上有個女生說我「很好看」，讓我飄飄欲仙了一個月。

當然，不久之後，十三歲的我有天醒來，發現鼻頭冒出一顆青春痘，它可不好看。這是一顆熟番茄型的超大青春痘。

「看看這個，這也太慘了吧。」我告訴媽媽。

「不要抓它。」媽媽說。

用什麼抓？我很好奇。

帶著這顆青春痘去上學時，我覺得自己是地球上最醜的男孩。每次經過一間教室、在窗戶上看見自己的倒影時，我只想逃開、躲起來。其他的孩子猛盯著我的痘痘瞧，我眞希望它消失，但兩天後它卻變得更大，成了全宇宙最大、最紅的青春痘。我開始擔心，有一天這顆痘子會變得比我整個人還重。

這顆怪物青春痘並沒有消失，八個月後還在那裡。我覺得自己就像澳洲版的「紅鼻子魯道夫」（❸）。

後來媽媽終於帶我去看皮膚科醫生。我跟醫生說，就算要動大手術，我也要把這東西弄走。他用超大的放大鏡仔細檢查——彷彿他看不見這顆痘子似地——然後說：「嗯，這

不是青春痘。」

我心想，管它是什麼，幫我弄掉就是了，可以嗎？

「這是皮脂腺腫大，我可以切掉或燒掉，但無論用哪種方法，留下來的疤痕都會超過原來這個小紅點。」他說。

小紅點？

「它大到我都看不見它周圍了。」我提出異議。

「你寧願帶著疤痕一輩子嗎？」醫生問道。

這個巨大的非青春痘繼續留在我的鼻子上，我禱告，也爲它苦惱了好一陣子，但最後我了解到，這顆紅色發亮的小球不會比我沒有四肢這件事讓我更容易被人消遣。如果人家不願意跟我講話，那是他的損失。我決定要這麼想。

如果我發現有人正盯著它瞧，我會開玩笑說我正在養另外一個鼻子，打算將來拿到黑市賣掉。當別人發現我可以嘲笑自己，就跟著我一起笑了起來，而且心有戚戚焉。畢竟，誰沒長過青青痘？就算布萊德．彼特也有啊。

有時候，是我們自己把事情看得太嚴重，才會讓小事變大。青春痘是其中一個例子。我們都是全然不完美的人類，有些人或許比其他人好一點，但每個人都有缺陷和短處。不要把每個面皰或皺紋看得太嚴重，因爲有一天，你會碰到眞正麻煩的大事，那時你要怎麼

辦？所以，當生命讓你頭上、鼻子上腫了幾個小包包時，不妨一笑置之吧。

美是盲目的

你知道什麼是眞正可笑的嗎？虛榮心非常可笑，因爲當你認爲自己漂亮、性感、值得登上時尚雜誌的封面時，生命馬上會讓你知道，美眞的是由觀者決定的，而且外在的美根本無法與內在美相提並論。

最近我遇到一位澳洲的盲眼小女孩，我們一起參加一項叫作「樂跑」的活動，爲貧窮的孩子募集醫療設備。這個女孩大約五歲，活動結束後，她媽媽介紹她跟我認識，並向她解釋我生來沒有手也沒有腳。

盲眼的朋友通常會要求碰觸我的身體，好了解沒有四肢是什麼模樣。我不介意。所以當這個女孩問她媽媽可不可以讓她自己「看看」是怎麼回事時，我同意了。她媽媽牽著她的手從我的肩膀摸起，一直摸到我的小左腳。小女孩的反應很有趣。當她碰到我空蕩蕩的肩窩和奇怪的小左腳時，顯得很平靜；然後，當她把手放到我臉上時，她尖叫了起來！

這也太好笑了吧。

「是怎樣，我長太帥嚇到妳了嗎？」我笑著問道。

「不是啦！你怎麼都是毛？你是狼嗎？」

她從來沒摸過落腮鬍，所以摸到我的鬍子時，她嚇壞了。她跟她媽媽說，我臉上有這麼多毛還眞可憐。對於什麼叫作有魅力，這個女孩有她自己的想法——我的鬍子顯然不是她的菜。我倒不會生氣，反而很高興再次被提醒：美是由觀者的眼睛——和觸摸——所定義的。

我的美就在於我的「不同」

人眞的很無聊。我們花了一半的時間融入人群，然後再花另一半時間企圖讓自己顯得突出。怎麼會這樣？我有這種狀況，相信你也有，因爲這似乎很普遍，是人性的一部分。爲什麼我們就是無法對自己滿意，不知道自己是上帝的造物，用以反映祂的榮耀？

還在念書時，我費盡心力想融入周遭環境，就像大多數青少年一樣。你有沒有注意到，即使是想要「與衆不同」的青少年，也總是和那些穿著、談吐、舉止都跟他們差不多的人混在一起？那是怎麼回事？如果你跟身邊的人一樣，穿黑色衣服、塗黑色指甲油、抹

黑色唇膏、畫黑色眼線，這樣你會有什麼出衆之處？不是反而成了隨衆嗎？

在身上刺青和打洞曾經被視爲粗獷個人主義的表現，不過，現在連婆婆媽媽都去刺青、打洞了呢。想要表現你的獨特性，應該有比跟隨一時的流行更好的方式吧？

我採取的態度或許可以供你參考：我認定我的美就在於我的「不同」，因爲事實上，我就是跟人家不一樣。我就是獨一無二的我，從來不會有人認爲我很「一般」，或者叫我「另一個傢伙」。在人群中，我站起來可能不高，但肯定很醒目。

這個態度對我還滿管用的，因爲無論大人小孩，第一次看到我都會有一些很奇怪的反應。小孩子會認爲我是從另外一個星球來的，或者是某種怪獸；青少年比較會亂想，所以他們覺得我是被斧頭殺人狂砍斷手腳之類的；大人也會下奇怪的結論，常常懷疑我是人形模特兒或玩偶。

有一次去加拿大拜訪親友，他們第一次帶我去進行萬聖節的「不給糖就搗蛋」活動，找來一個很大的恐怖老人面具，套在我整個身體上，然後抱著我挨家挨戶去拜訪。一開始沒引起什麼反應，後來我們發現原來大部分人都以爲我不是「眞的人」——有一位女士把我最喜歡的棒棒糖塞進我的袋子裡，我就跟她說：「謝謝！不給糖就搗蛋！」結果把這位女士嚇得往後跳開。

「裡頭有個小孩嗎？」她大叫，「我以爲你們帶的是個洋娃娃！」

「嗯，我是很可愛啦。」我心想。

當我也很愛鬧時，還頗能享受這種獨特性的種種好處。我喜歡跟堂兄弟姊妹和朋友們在購物中心亂逛，幾年前的某天，我們在澳洲一家購物中心看到邦茲內衣的櫥窗展示——邦茲是個歷史悠久的內衣褲品牌。櫥窗裡的人形模特兒穿著邦茲的白色緊身內褲，這個模特兒的身體跟我一樣，只有頭和軀幹，沒有四肢——但是有漂亮的六塊腹肌。那天我剛好也是穿邦茲內褲，因此我的堂兄弟跟我決定讓我也去當櫥窗模特兒。我們走進店裡，堂哥和堂弟把我舉起來，放進櫥窗裡，讓我就站在那個人形模特兒旁邊。

接下來的五分鐘，魚兒不斷上鉤。每當有人停在櫥窗前，或是看我一眼，我就扭一扭、笑一下、眨個眼、鞠個躬，結果把他們嚇壞了！當然，這個小把戲讓我的共犯在店外頭笑到快翻過去。後來他們說，如果我的演講事業不怎麼順利的話，應該可以去百貨公司當展示用的假人。

打開內在的愛之光

我已經學會用笑來面對身體上的障礙，以及它所引起的奇怪反應。不過，當你懷疑自

我價值，或是無法愛自己原本的樣子時，有更好的方法可以克服這些問題——與其執著於內在的痛苦，不如走出去，想辦法減輕別人的痛苦，把注意力放在需要幫助的人身上。

例如去收容所當志工、幫孤兒募款、爲地震災民發起義賣，或是參加慈善性質的健走、騎單車或舞蹈馬拉松等活動以募款。你要站起來，走出去。

當我這麼做的時候，發現這可能是打開自己內在的愛之光最好的方式。

如果你無法解決自己的問題，就去解決別人的吧。畢竟，施比受更有福，不是嗎？如果你不愛自己，就把自己送給別人，你一定會對這樣做讓你覺得自己多有價值，而感到十分驚訝。

我是怎麼知道的？拜託，老兄，看看我，看看我的人生。在你眼中，我像個快樂又滿足的人嗎？

隆鼻無法給你充滿喜悅的人生，法拉利不會讓你被數百萬人景仰。你內在已經擁有值得被愛、被珍惜的東西，現在只要將它們釋放並擴大。你不會永遠都是完美的，這樣很好。人生的目的不是獲得完美，而是探索完美。

你想要繼續努力、繼續成長、繼續付出你能付出的一切，如此一來，你就可以在最後回首人生時說：「我已經盡全力了。」

現在就看著鏡子說：「這就是我的樣子；我願意接受挑戰，成爲最好的自己。」你是

美麗的，因為上帝按著祂的目的創造了你；而你的挑戰在於，要找出那個目的，然後以希望作燃料，用信心驅動，並且盡量運用你的「獨你性」（you-niqueness）。

要治癒自憐和受害者情結，唯一有效的方法就是愛自己、接納自己。毒品、酒精和靡爛的性生活只能給人暫時的解放，最後帶來的是更大的痛苦。當我將自己視為上帝的孩子，而且是祂計畫的一部分時，我的生命徹底改變了。或許你不信基督，但你總可以相信到地球上走這一遭，肯定有你的價值和目的。

做個朋友，要快樂哦！

要找到內在的快樂，我建議你不要只把焦點放在自己身上，要用你的天賦、聰明才智和性格去幫助他人創造更美好的人生。我曾是接受的一方，而那樣做改變了我的生命，這麼說一點也不誇張。

十六歲時，我就讀於昆士蘭的朗孔高中。放學後，我通常必須等一、兩個小時才有車回家，這段時間，我都四處跟其他同學或阿諾先生聊天。阿諾先生很了不起，他不是校長也不是老師，而是學校的工友，但他卻是個從內在發光的人。他頗能自處，穿著工作服一

樣怡然自得，所以每個人都很尊敬他、喜歡跟他在一起。

阿諾先生什麼都能聊，他充滿靈性，而且很有智慧。午餐時，他偶爾會跟一些年輕人討論基督信仰，也邀請我參加——即使我跟他說，我對宗教不是那麼有興趣。不過我很喜歡他這個人，所以也開始參加他們的聚會。

阿諾先生鼓勵大家談談自己的生活，但我總是拒絕。「說嘛，力克，我們都想聽聽你的故事。」他說，「我們想更認識你、想多知道一些你的想法。」

我拒絕了三個月。「我沒什麼故事好講的。」我這麼說道。

最後因爲磨不過他，加上看到別的孩子都能坦然地說出自己的感受和體驗，於是我終於答應下一次會跟大家聊聊我的事。我非常緊張，事前還準備了寫滿重點的卡片（很蠢，我知道）。

我並沒有想要感動誰。我告訴自己，我只想把這件事做完，然後走人，就這樣。但是，有一部分的我卻很想讓其他人知道，我也有跟他們一樣的感覺、傷痛和恐懼。

那天我大約花了十分鐘，談到沒手沒腳的成長過程是什麼狀況。我說了難過的事，也提到好玩的事；另外，我不想讓自己像個受害者，因此也講到得意的事。而既然這是個基督徒的團體，我於是提到有時我會覺得上帝遺忘了我，或者，我是祂極少數的失誤。接著我向大家解釋我是如何慢慢了解到，或許上帝對我是有個計畫，只是我還不明白那是什

麼。

「我正慢慢學著要有多一點信心，明白自己不是個失誤。」我加上這一句，試圖逗大家開心。

總算講完了，我鬆了一口氣，覺得好想哭。然而讓我訝異的是，房間裡大多數孩子反倒都哭了。

「我有那麼糟嗎？」我問阿諾先生。

「不，力克，」他說，「你好棒。」

起先我覺得他只是好心，而這群孩子也只是假裝被我的演講感動。畢竟他們是基督徒，做人應該本來就很好。

然而，之後有個人邀請我到他教會的青年聚會分享，另一個孩子則請我去他教會的主日學演講。接下來的兩年裡，我應邀到許多教會、青年團體與服務性社團分享我的故事。

高中時期，我曾特地避開基督徒團體，因爲我不想被當成整天傳教的宗教狂熱分子。我故意表現得很粗魯，有時還罵髒話，好讓人覺得我很「正常」而接納我。但事實上，是我還沒接納自己。

顯然，上帝頗有幽默感，祂把我拉進我努力想逃開的團體去演講。也就是在那裡，上帝顯明了祂對我人生的計畫。祂讓我知道，即使我並不完美，可以和人分享的東西卻很

多，可以讓別人的人生過得更輕鬆的祝福也很豐富。

你也是一樣。我們都不完美，所以必須分享自己得到的美好餽贈。向自己的內在探尋吧，那兒有熠熠盛光，正等著發亮。

注❶：《聖經》詩篇第一百三十九篇第十四節：「因我受造，奇妙可畏。」

注❷：《聖經》馬太福音第二十二章第三十六至三十九節；路加福音第十章第二十七節。

注❸：Rudolph the Red Nose，魯道夫是隻紅鼻子麋鹿，因為跟其他的鹿不一樣，經常被欺負。有次遇到大風雪，能見度非常低，聖誕老公公看到魯道夫的紅鼻子在大雪中十分明顯，就叫他帶頭，最後順利把禮物發送完，而紅鼻子魯道夫也成了英雄。

第五章

態度決定高度

我體驗過改變態度所產生的力量。我可以告訴你，那種力量改變了我的生命，帶我到達我從未想像過的高度。而它也能帶給你同樣的體驗。

我開了一家公司，專門安排我的演講活動。我將公司取名爲「態度決定高度」，因爲如果不是有正面的態度，我不可能超越自己的肢體障礙，也不可能接觸到那麼多人。

或許你覺得「調整態度」的概念很好笑，因爲在許多勵志廣告或教練技能教材裡，這已經是老生常談了。然而，控制並調整態度的確具有力量，可以讓人轉換情緒，並停止畫地自限的行爲。心理學家兼哲學家威廉．詹姆士（William James）說過，改變態度就能改變人生，是他那個世代最偉大的發現之一。

不論是否有意識到，你總是會透過自己獨特的觀點或態度，來看待這個世界。你的決定與行動奠基於這些態度，因此當事情行不通時，你有能力藉由調整態度，改變自己的人生。

請把「態度」想像成電視機的遙控器。假如現在正在看的節目對你沒有任何幫助，你就拿起遙控器轉臺；而無論碰到什麼挑戰，當你沒有得到想要的結果時，你可以調整態度，就像用遙控器轉臺一樣。

琳達是個音樂老師，她寫信告訴我，她如何以驚人的態度幫助自己克服兒時車禍帶來的影響；若非如此，那場車禍很可能毀了她的一生。小學三年級時，琳達在一場車禍中傷得很嚴重，昏迷了兩天半，醒來後不能走路、不能說話，也無法吃東西。

醫生曾擔心琳達的腦部會受損，永遠無法正常說話或走路，但幸好她的心智、語言能

力和身體都逐漸復元。事實上，琳達目前的車禍後遺症，只剩下右眼視力不足。

這位女性承受了難以想像的痛苦，經歷許多次手術，依然留下視力受損這個問題。如果琳達覺得生命對她眞不公平，似乎也不能怪她，畢竟有這樣的遭遇，本來就很容易讓人自覺受害、痛苦。不過，她選擇了這樣的態度：

「我的兩眼視力不平衡，有時會讓我感到挫折，但這時我想起自己從何而來、要去向何方，並了解到上帝拯救我是有理由的：要見證祂在我生命中施行的作爲。我的眼睛是上帝給我的提醒，讓我知道自己並不完美，但不完美沒有關係；另外，我必須全然仰望上帝給我力量。上帝選擇透過我眼睛的缺陷，顯明祂的能力——我雖軟弱，主必剛強。」她如此寫道。

琳達選擇把她不完美的視力當作上帝「對她人生的完美計畫」的一部分。她寫著：「祂改變了我對人生的態度。我知道自己的生命隨時可能結束，所以我時時刻刻都努力爲上帝而活。另外，我也試著用正面觀點看待每一件事，努力將自己的全部獻給上帝與衆人，眞心關懷周遭的人。」

琳達選擇去感謝她可以思考、說話和走路，而且在許多方面都能正常生活，而不是一直把注意力放在自己視力不足這件事情上。你我也可以選擇像她一樣的態度。

你不必是個聖人就能做到這點。當你遇上悲劇或個人危機時，會經歷恐懼、生氣和

悲傷等階段，這很正常，也很健康。但是到了某一個時間點，你得告訴自己：「我還在這裡，我是要把餘生都用來沉浸在悲情之中，還是要超越現況、追求夢想？」

這麼做很容易嗎？不，一點也不。你必須有極大的決心，還要很清楚自己的人生目標是什麼，要抱持盼望與信心，並相信自己眞的擁有可以與人分享的才能和技藝。有許多人已經證明了正面態度的確可以讓人克服難關，琳達只是其中一個例子。你我眞的無法掌控所發生的事，但我們可以控制自己如何回應；如果選擇正確的態度，就能超越挑戰——這雖然是老生常談，卻是經過時間考驗、無可否認的眞理。

你或許無法掌控下一件倒楣事：龍捲風襲擊你的房子；醉漢撞到你的車；老闆炒你魷魚；另一半跟你說：「我需要自由的空間。」我們經常被生命偷襲，你可以悲傷、難過，但之後要把自己拉起來，問：「好，接下來是什麼？」哭夠了、發洩完了，就振作起來，調整你的態度。

改變態度就能改變人生

你不必吃藥、看精神科醫生、上山求道於大師，也可以改變態度、改變人生。這本書

一再鼓勵你要找到人生目的，對未來抱持希望、對生命的種種可能性有信心，而且要愛自己本來的樣子。這些特質讓你有理由樂觀，而樂觀正是調整態度的力量來源，就像遙控器的電池。

你認識有人可以成功、滿足且快樂，同時又抱持悲觀主義嗎？我是沒有啦，那是因爲樂觀讓人充滿力量，給你控制情緒的能力，而悲觀則會削弱意志，因而讓心情控制行動。擁有樂觀的看法，你就可以調整態度，充分利用壞情勢。有時人們會把這個叫作「換框法」（reframing），意思是當你無法改變環境時，可以改變看待環境的方式。

一開始，你可能必須有意識地這麼做，但只要練習一陣子，就會變成自發行爲。剛展開演講生涯時，如果碰到班機取消或轉乘其他交通工具不順利，我常常會發脾氣，覺得很挫折。但最後我不得不面對一個事實：像我這種頻繁旅行的人，難免會碰到一些狀況。另外，我年紀也大了，不適合老是發飆，而且生氣時沒有腳可以跺兩下，實在不帶勁。

我必須訓練自己擁有在旅程不順時調整態度的能力。現在，當我們被迫在候機室等上幾小時，或者必須突然改變行程時，我會從正面的角度詮釋那些負面事件，以避免壓力、挫折或憤怒上身。我會激發一些樂觀的想法，例如：「我們的班機是因爲天氣不好才會延誤，這樣很好啊，等暴風雨過了再登機不是比較安全嗎？」或者「班機取消是因爲機械故障，我寧願在地上等待另一架沒有問題的飛機，也不要搭上有狀況的飛機。」

當然，我還是寧願旅途平順，也不希望有那麼多波折，但如果不調整態度，我就會老是想著負面的事，那樣實在很不健康。當你允許環境跳脫你的控制，去決定你的態度和行動時，就可能會掉入一個不斷向下的漩渦裡：草率決定、誤判形勢、反應過度、太早放棄、錯失機會——錯失那些總是在你認爲人生不可能變好的情況下出現的機會。

悲觀主義和負面性保證會讓你無法超越現況，永無翻身之日。因此，當你覺得負面思維讓你血液沸騰時，要把它們趕出去，然後用比較正面和激勵的內在對話來取代。這裡有個負面與正面思想的對照表，可以幫助你監督自己內在的聲音。

負面	正面
我不可能熬得過去。	這一切終將過去。
我再也受不了了。	我都走到這裡了，好日子就在前方。
這是我碰過最糟的狀況。	有些日子就是會比較辛苦。
我永遠找不到另一份工作。	一扇門關了，就會有另一扇門打開。

抱持正面態度，連癌症都能擊退

我有個朋友叫喬克，四十歲，去年發現他二十多歲時擊退過兩次的癌症又復發了。而這次因爲腫瘤深入重要器官，醫生沒辦法替他做放射線治療，預後情況不好——事實上，他的狀況很糟。身爲丈夫、父親，有一大堆家人和朋友，喬克有人生目標，也懷抱著希望、信心和對自己的愛，因此他採取這樣的態度：他還不打算死。事實上，雖然身體有病，但喬克不認爲自己是個病人。他決定保持樂觀和積極，專注地在人生中繼續走下去。

在這個節骨眼兒，沒有人會認爲喬克運氣好，對吧？然而，他無法進行放療這件事卻成了好運，因爲喬克的醫生參與了一項癌症用藥的實驗，這個療法不使用放射線，而是以藥物針對個別腫瘤細胞攻擊，然後殺死它們。既然傳統的治療方式不適合喬克的腫瘤，他有資格接受這個實驗性療法，但眞正說服醫生讓喬克加入的是他的正面態度。他們知道喬克一定會善加利用這樣的機會，而他也確實如此。

當這個癌症實驗用藥透過靜脈注射導管注入體內時，喬克並不是平躺著接受治療，而是一邊在跑步機上跑步，一邊接受注射，甚至還舉重。就因爲他的態度如此正面、精力如此旺盛，有些醫護人員實在無法相信喬克是癌症病人。「你眞的太不像『正常』病人了。」

接受這個實驗性療法的幾個禮拜後，醫生告訴喬克發生了奇妙的事。「我找不到任何腫瘤的跡象，」他說，「全都不見了。」

醫生無法確定擊潰腫瘤的，是這個實驗性藥物，或是喬克的態度，或是奇蹟，或者是以上三者的組合。我只能告訴你，喬克離開醫院時是沒有癌症的，而且壯得像頭牛。儘管一切跡象都顯示他面臨死亡，但喬克選擇了正面態度。他並沒有把注意力放在生病這件事，而是放在他生命的目的上，並且抱持希望和信心，相信自己可以造福他人。

選擇A級態度

請注意，琳達和喬克所選擇的態度都讓他們得以超越困境，不過他們選擇的類型有些許不同。琳達選擇充滿感恩，而不是心懷苦澀；喬克選擇採取行動，而非放棄。可以選擇的態度很多，但我認爲最有力的是：

1. 感恩的態度
2. 行動的態度
3. 同理的態度
4. 寬恕的態度

1. 感恩的態度

這是琳達在車禍受傷後所採取的態度。她沒有哀悼自己所失去的，而是對她重新找到的事物與建立起來的生活表達感激。我非常相信感恩的力量。演講時，我常常提到我的小左腳，雖然我總是拿它開點玩笑，但我其實對這隻小左腳滿懷感激。我用它來控制輪椅的操縱桿、打電腦（一分鐘可以打四十幾個字）、在鍵盤樂器和電子鼓上玩音樂，還可以操作手機裡所有的應用程式。

感恩的態度也會吸引那些感受到你的熱情、支持你的夢想的人。有時候，這些人能以讓人驚訝的方式鼓舞你、改變你的生命。小時候，媽媽經常念書給我聽，《我愛的上帝》是我最喜歡的書之一。媽媽第一次讀這個故事給我聽，是在我六歲時；在那之前，我不認識其他沒手沒腳的人，所以沒有可以學習的典範。而這本由瓊妮·艾瑞克森·塔達（**Joni Eareckson Tada**）所寫的書鼓勵了我，也幫助我建立感恩態度的基礎。

瓊妮是個游泳和馬術選手，十七歲時，就在她大學第一學期開始的幾個禮拜前，她在跳水進入湖中時折斷了脖子。那次意外發生在一九六七年，她的脖子以下全部癱瘓。瓊妮在書中提到，她曾經因爲癱瘓而絕望到想自殺，但最後她想通了：「這不是宇宙丟擲的銅板，也不是命運的輪盤，而是上帝對我人生計畫的一部分。」

我很愛這本書，後來媽媽又買了瓊妮的歌唱CD給我，這是我第一次聽到「我們都有車」這樣的歌詞。瓊妮的歌裡提到在輪椅上有多好玩，還告訴大家「沒有人是完美的」。小時候，我會一次又一次地播放這些歌曲，到今天沒事還會哼兩句，因此你可以想像，當我第一次受邀去拜訪瓊妮時，會有多驚訝了。

二〇〇三年，我應邀到美國加州一所教會演講；結束之後，一位替瓊妮工作的年輕女性過來自我介紹，並邀請我去瓊妮的慈善基金會「瓊妮與朋友們」。

過去拜訪時，看到瓊妮進到房間來，我都快暈了。她傾身給我一個擁抱，這眞是偉大的時刻。而因爲四肢麻痺，瓊妮的身體沒什麼力氣，所以向我靠過來之後，她就沒辦法把身體拉回輪椅裡。於是，我直覺地用自己的身體輕輕把瓊妮推回去。

「你很強壯耶。」她說道。

當然，這話讓我很激動。這位女士在我小時候給了我力量、希望與信心，而她現在說我很強壯！瓊妮提到，一開始她也跟我一樣，爲身體上的障礙所苦。她曾經考慮要駕著輪椅從一座很高的橋上摔下去，就此結束生命，但又擔心這樣只會傷了腦子，然後讓人生變得更悲慘。最後，她選擇禱告：「上帝啊，如果我死不了，請讓我知道如何活下去。」

意外發生後不久，朋友給了瓊妮某節《聖經》經文的影本，上面寫著：「凡事謝恩，因爲這是神在基督耶穌裡向你們所定的旨意。」（❶）瓊妮那時還沒有很深的信仰，對癱瘓

一事仍懷著憤怒與挫折感，因此對這節經文很不以爲然。

「你應該是在開玩笑吧？」瓊妮說道，「我怎麼可能對此心存感激？不可能。」她的朋友告訴她不必對癱瘓感恩，她只要來個一百八十度的轉彎，對即將到來的祝福心懷感激就可以了。

那個時候，要瓊妮認同這一點實在很難。她覺得自己是個受害者，說自己是「一場可怕跳水意外的受害人」。一開始，瓊妮因爲自己四肢痲痺而責怪每一個人，除了她自己。她要大家付出代價；她控告、苛求，甚至責怪父母把她生到這個世界來讓她癱瘓。

瓊妮覺得全世界都欠她，因爲她無法再使用手和腳。最後她了解到，受害者情結是個很好的逃避之處，每個人都可以聲稱自己是這個或那個不幸的受害者——有些人因爲出身貧寒，有些則是因爲父母離婚，或是身體不好、工作不順、不夠瘦、不夠高、不夠美麗，而覺得自己是受害者。

當我們覺得有權享有生命中的美好時，一旦發生了讓人覺得不舒服的事，我們會有被剝奪、被傷害的感受，接著就會責怪他人，無論如何就是要他們爲我們的困苦負責。在一種自我中心的心態下，我們成了「職業受害人」。然而，「憐憫大會」是最冗長煩人、沒有生產力又沒有營養的活動，你只能不斷聽到「可憐、可憐、我好可憐」，讓你焦躁不已，只想跑去躲起來。

你應該像瓊妮一樣，放下受害者的角色，因爲這個角色沒有未來。瓊妮認爲，受苦將人帶到交岔路口，我們可以選擇向下走到絕望之處，或者採取感恩的態度，往上走向希望。一開始，你或許覺得心存感激很困難，但只要下定決心不再當受害者，並且一天一天執行，力量終究會來到。如果你就是沒辦法找到任何值得感謝的事，那就把焦點放在前方的好日子，提前感恩。這樣做可以幫助你建立樂觀的感受，讓你的心思擺脫過去、展望未來。

瓊妮發現，扮演受害者只會把她往下拖，而且比癱瘓拖得更深；但是，感激你已經領受和即將領受的祝福，則會鼓舞你。這樣的態度可以改變你的生命，就像它曾經改變瓊妮和我一樣。我們不再因身體的障礙而憤怒、怨恨，而是建立起喜樂滿足的人生。

感恩的態度確實改變了瓊妮的生命，然後她回過頭來幫助我和許多看過她激勵人心的暢銷書和DVD的人，讓我們的生命也改變了。她的基金會推動了一項計畫，在全球一百零二個國家免費分送了六萬多張輪椅，以及數千支拐杖和助步器給身障者。

瓊妮四肢痲痺，我則是沒手沒腳，然而，我們都找到了人生的目的，並且追求它。我們擁抱希望而不是絕望，相信上帝與未來；我們接受自己並不完美，但擁有很棒的祝福；我們選擇以感恩啓動正面態度，並將正面態度化爲行動，改變自己和別人的生命。

這不是勵志海報，而是事實。藉由選擇感恩的態度，而不是受害者情結、苦澀或絕望

的態度，你也可以克服任何挑戰。但如果你覺得感恩很難，那還有其他對你或許有效的方法。

2. 行動的態度

泰比莎的身障狀況跟我很類似，然而她說：「我一直覺得自己得到很多祝福，因此必須償還宇宙一些。」她的行動派態度讓她和家人開始製作「禮物包」，分送給重症和肢障兒童，以及收容所裡的孩子。

有時你會發現，讓自己擺脫陳規舊習或困境最好的辦法，就是爲自己或他人創造更美好的生活。蘇格拉底說：「讓世界動起來之前，先讓自己動起來。」如果你抓不到好運道，就自己創造一個；當你被巨大的損失或悲劇擊倒時，給自己一段悲傷的時間，然後採取行動，從壞事中創造出好事來。

行動的態度會創造正面動能。第一步無疑最難。站起來離開舒適區，一開始似乎不太可能，然而一旦起身，就能前進；而只要前進，你就走上了脫離過去的路，邁向未來。就這樣一步一步往前吧。如果你失去了某人或某物，就去幫助另一個人或做另一件事，當作紀念和致敬之意。

最具毀滅性的經歷之一是失去所愛。失去家人、摯友所引發的悲慟，會讓我們陷入癱瘓。除了可能因爲愛過他們、認識他們、與他們相處過而感到欣慰之外，這樣的狀況沒有可以感謝的地方。失去摯愛的痛讓人無法忍受，甚至陷入癱瘓。這種痛不可能事先打預防針，然而也有人將哀痛化爲行動，讓失去變成善的力量。

凱蒂・萊納（Candy Lightner）是個知名的例子。在十三歲的女兒死於一場酒駕車禍之後，凱蒂將自己的憤怒和痛苦轉爲行動，成立了「反酒後駕車媽媽」組織，這個組織透過積極行動與教育計畫，拯救了許多人的生命。

當悲劇襲來，我們會想要逃到某個地方大哭，希望心碎的感覺終有一天會減輕。然而有許多像泰比莎、瓊妮和凱蒂這樣的人，他們採取的是行動的態度，相信即使人生最慘烈的悲劇都能提供做好事的機會。卡爾森・萊斯利（Carson Leslie）就是這樣一個不可思議的人。我遇見他時，他十六歲，但已經和癌症搏鬥了兩年。這位年輕的運動新秀擁有明亮的笑容，他的夢想是擔任紐約洋基隊的游擊手。十四歲時，他被診斷得了腦瘤，並且已經擴散到脊椎，所以接受了手術、放療和化療。治療過後，他的癌症進入緩解期，然後又復發了。

儘管經歷了這一切，卡爾森還是盡力作個正常的孩子，過正常的生活。他經常提到他最愛的一節《聖經》經文，那是〈約書亞記〉第一章第九節：「我豈沒有吩咐你嗎？你

當剛強壯膽，不要懼怕，也不要驚惶，因為你無論往哪裡去，耶和華你的上帝必與你同在。」

卡爾森說這不是他的「癌症經文」，而是他的「生命經文」。

「無論我能活多久，我都希望這節經文出現在我的墓碑上。當人們經過我的墳墓時，我要他們讀到這節經文，想想它如何幫助我度過生命中的種種掙扎，也希望大家知道這節經文可以給他們安慰，就像我所得到的一樣。」卡爾森在他的書《扶持我》裡面這樣寫道。

這位不可思議的勇敢少年和他的英文老師一起完成這本書，為的是「替那些罹患癌症、卻無法表達這樣的疾病如何影響他們的青少年與兒童發聲」。書剛出版，卡爾森就過世了。書的版稅被用來成立卡爾森．萊斯利基金會，支持兒童癌症的研究。

這個年輕人多麼無私啊。縱使病重又疲倦，他還是把人生最後的日子用來寫書，以鼓勵和幫助別人。我很喜歡他在書末寫的一段文字：「沒有人知道生命為我們預備了些什麼……但如果你知道勇氣來自上帝，就很容易有勇氣。」

我是透過一位珠寶商比爾．諾寶跟卡爾森碰面的。比爾有虔誠的信仰，常常邀請我到他的教會和其他團體演講。比爾的孩子跟卡爾森念同一所學校，他把我們湊在一起，稱我和卡爾森是「天國的兩位將軍」，不過已經被解除武裝了（❷）。

除了消遣我之外，比爾經常強調要讓活著的每一秒都有意義，並且留給世人一些東西，就像卡爾森所做的一樣——即使他還那麼年輕。比爾常說：「上帝並沒有依照一個人在世的樣子來定義他，就像〈約翰福音〉第六章第六十三節所說的：『叫人活著的乃是靈，肉體是無益的。我對你們所說的話就是靈，就是生命。』」

3.同理的態度

如果行動的態度超出你的能力，你還有另一個選擇，一個來自內心的選擇。

年紀愈大、人生經驗愈豐富之後，我了解到當年我之所以會有自殺的念頭，其中一個關鍵因素就是我非常自我中心。我認爲沒有人承受過像我一樣的身心痛苦與挫折；那時，我的注意力全放在自己的境況上。

長大一些之後，我的心態有了很明顯的改進，了解到其實世界上還有許多人遭逢跟我一樣、甚至比我更艱難的挑戰。於是，我開始以更大的同理心去鼓勵別人。二〇〇九年我去澳洲訪問時，有位兩歲半的小女孩就展現了令人動容的同理心。小女孩是我朋友的女兒，我之前從來沒見過。她跟著父母親來參加我們的聚會，有好一陣子，她一直對我保持距離，在遠處仔細研究我，就像一般小孩常有的舉動。當她的父母準備離開時，我問這個

小可愛能不能給我個擁抱。

她笑了，小心地靠近我。當走得夠近時，她停下來，看著我的雙眼，然後把雙手往背後折，彷彿表示她跟沒有四肢的我是同一國的。接著她又靠得更近一些，並把頭放在我的肩膀上，用脖子擁抱我，如同她之前看到我做的那樣。在場的每個人都被小女孩對我展現的同理心打動了。我有很多擁抱的經驗，但我必須說，這一次的擁抱我永遠忘不掉，這個小女孩眞是有認同他人感覺的驚人天賦啊。

同理心是很棒的天賦，我鼓勵你把握每一次機會練習並分享，因爲它會讓施與受雙方同樣得到療癒。遇到困難、悲劇或挑戰時，與其往內縮到自己的世界裡，不如向外看看四周；與其帶著受傷的心尋求同情，不如去找一個傷得更深、更重的人，然後幫助他治癒傷痛。你當然可以悲傷、痛苦，但你要知道人皆受苦，如果你願意在這個時候向他人伸出援手、幫助別人，也是一種自我療癒。

我的朋友蓋比．墨菲特也深知這點。蓋比天生手腳畸型，只有七、八公分長；他的指頭沒有骨頭，而且聽力受損。不過，他棒球、籃球、曲棍球、跳繩和打鼓樣樣行，日子過得積極而活躍。

蓋比在西雅圖附近長大，擁有不屈不撓的精神和巨大的同理心。他六歲開始打少棒聯盟，目前是華盛頓大學的學生，曾經在朋友和家人的支援下，攀登華盛頓州第一高峰

雷尼爾山。儘管有自己的難題要面對，高中時蓋比就開始演講，以激勵其他學生。他演講的主題是「無阻礙」（CLEAR），所謂「無阻礙」指的是勇氣（**courage**）、領導（**leadership**）、卓越（**excellence**）、態度（**attitude**）和尊敬（**respect**），這五種特質的英文第一個字母加在一起，便成了「無阻礙」這個字。他和家人還創立了「希望基金會」（**http://www.GabesHope.org**），提供獎學金和各種獎助方案給身障者。這就是蓋比出於同理心所做的事。

你是否看到蓋比的同理心態度所擁有的力量？他把焦點從自己的困難移開，去幫助別人；他將自己肢體障礙所帶來的挑戰轉變成由同理心出發的使命，豐富了自己和無數人的人生。

當我前往一些極度貧困和承受巨大苦難的地方時，常常發現那裡的人無論男女老少，憐憫心總是大到不可思議。不久前我去柬埔寨，在潮濕悶熱的天氣中開了一個很長的會。快要昏倒的我急著回飯店，想要趕快沖個澡，然後在有空調的房間裡睡個一、兩天。

「力克，你可以在離開之前跟這個小朋友講幾句話嗎？」主辦單位說道，「他在外面等了你一整天了。」

那個男孩比我還矮小，一個人坐在泥地上等著。他身邊的蒼蠅多到形成一塊黑雲，頭上有個不知道是深裂的傷口或是瘡，一隻眼睛看起來好像凸出來，身上則發出腐壞骯髒的

氣味。

然而，他的眼神卻流露出深深的憐憫。這個孩子對我有那麼多的愛與同情，讓我放下急著離開的心情。

他走向我的小輪椅，然後輕輕地把他的頭頂上我的臉頰，試著安撫我。這孩子看起來好像幾天沒吃東西了，似乎是個受過很多苦的孤兒，但他想要向我表達同情，因爲他想像我一定吃了很多苦。我感動得眼淚直流。

我請主辦單位看看能不能幫幫這個孩子，他們答應我會讓他有得吃、有人照顧，還會替他找個睡覺的地方。謝過小男孩、回到車子裡之後，我依然無法停止哭泣。那天接下來的時間裡，我完全無法好好思考，總是忍不住要想，這個小男孩的狀況讓我覺得他很可憐，但他並沒有把注意力放在自己的痛苦上，反而對我表達出深切的同情。

我不知道這孩子經歷了些什麼，也不知道他的生活有多艱苦，但我可以告訴你，他的態度讓人驚奇，因爲儘管自己也面臨許多問題，他依然有能力伸出手給人安慰。這種同理心與憐憫心是多麼棒的天賦啊。

當你有受害者情結，或是覺得自己很可憐時，建議你將態度調整爲同理心的態度。你可以伸出援手給有需要的人、助人一臂之力、在收容所擔任志工，或是作別人的良師益友，利用你所承受的痛苦、憤怒或傷害，來幫助你更加理解並減輕別人的苦楚。

4. 寬恕的態度

想要增加生命的高度，你可以選擇的第四種態度是寬恕。這可能是最棒、但也是最難學習的態度，相信我，我眞的知道。就像我跟你提過的，小時候有段時間，我無法原諒上帝，因爲祂犯了一個嚴重的錯：沒有給我四肢。我非常生氣，也陷入責怪他人的行爲模式。寬恕不是我的菜。

跟我一樣，你也必須經歷憤怒和怨恨的階段，然後才能寬恕。這是很自然的反應，但你不會想要緊抓住那些情緒太長的時間，因爲不久之後你就會發現，一直讓忿恨在心中翻滾，只會讓自己受傷。

憤怒沒辦法日夜持續，就好像如果你一直讓引擎發動著，車子會壞掉，你的身體也是如此。醫學研究顯示，一直心懷怒氣和怨恨，會對身心造成壓力，導致免疫力下降，並破壞重要的身體器官。責怪別人還有另一個問題：如果我沒手沒腳是別人的錯，那我就不必爲自己的未來負責了。而一旦我下定決心原諒上帝和醫生，然後讓生命繼續前進，我在身體和情緒上都感覺更好，並且認爲該是我爲自己接下來的人生負責的時候了。

寬恕的態度讓我自由。你知道的，緊緊抓著舊傷痛不放，你就只是給那些傷害你的人力量，讓他們控制你；可是當你原諒他們，你就切斷了跟這些人的連結，他們就再也不能

打擊你。千萬不要以為寬恕他們是放他們一馬，你這樣做不為別的，是為了你自己。

我原諒了所有嘲笑我、欺負我的孩子。我寬恕他們並不是在赦免他們的錯，而是為了放下憤怒和怨恨的包袱。我愛我自己，我要讓自己自由。

所以，不必擔心寬恕會讓以往那些對你懷有敵意、傷害你的人好過，就享受寬恕帶來的好處吧。一旦採取這個態度，你的負擔會減輕，如此一來，你就可以去追求自己的夢想，而不會被過去的包袱拖累。

寬恕的力量不只可以療癒你自己一個人，當南非前總統曼德拉原諒那些讓他坐了二十七年牢的人時，這個寬恕的態度所帶來的力量改變了一整個國家，並在全世界掀起一陣漣漪。

我在烏克蘭認識一位牧師，他先前舉家遷至俄羅斯一個暴力頻傳的地區設立教會。當時他計畫開設教會的消息傳出後，幫派分子威脅要對他和他的五個兒子不利，所以牧師就禱告。「上帝告訴我，如果我到那裡開設教會，將付出嚴峻的代價，但同時也會有驚人的成果。」他說。

儘管遭到恐嚇，牧師還是去設立了教會，但一開始根本沒什麼人來。就在牧師打開大門的一個禮拜後，他的一個兒子當街被殺害。悲慟的牧師再次禱告，尋求上帝的指引，上帝告訴他要繼續待下來。結果他兒子死後三個月，牧師在街上被一個長相凶惡的人攔下

來，問他：「你想不想見見殺你兒子的那個人？」

「不想。」牧師回答。

「你確定？」那個人說，「如果他是要尋求你的原諒呢？」

「我已經原諒他了。」牧師答道。

那個人崩潰了，告訴牧師：「我射殺了你的兒子，而我想要加入你的教會。」

接下來的幾個禮拜，這個俄羅斯幫派的其他許多成員都走進牧師的教會，犯罪活動就從這個地區消失了。這就是寬恕的力量。當你抱持寬恕的態度時，會讓各種驚人的能量動起來，而且請記住，這個態度會讓你也原諒自己。身爲基督徒，我知道上帝會寬恕那些尋求祂恩惠的人，但人們卻常常不願意饒恕自己以往所犯的過錯、失誤和放棄的夢想。

自我寬恕跟原諒他人一樣重要。我曾犯過錯，你也是。我們都曾經對別人不好、不公平地論斷人，也都曾把事情搞砸。重要的是必須後退一步，承認自己不足、不夠好，向自己傷害過的人道歉，並承諾會改進；然後，就原諒自己，繼續前進。

這是個你可以依循的態度。

《聖經》說，我們種什麼就收什麼。如果你心裡滿是痛苦、憤怒、自憐，而且不願寬恕，你覺得這些態度會給你帶來什麼？這樣的人生又有什麼意思？所以，請拒絕陰鬱、悲觀的心情，大量儲存樂觀，爲感恩的態度、行動的態度、同理的態度或寬恕的態度充電。

我體驗過改變態度所產生的力量。我可以告訴你，那種力量改變了我的生命，帶我到達我從未想像過的高度。而它也能帶給你同樣的體驗。

注❶：《聖經》帖撒羅尼迦前書第五章第十八節。

注❷：原文在此用了「disarm」這個字，原意是解除武裝，但把這個字拆開來，dis有除去、剝奪之意，而arm則是手臂，所以比爾這樣說是在開力克玩笑。

第六章

跟恐懼作朋友

你可以汲取因為害怕失敗、害怕被拒絕而產生的能量，並運用這股能量為正面行動提供動力，讓你更接近自己的夢想。

我生平第一次、也是唯一一次打架的對象叫「恰吉」，他是我們小學最大號的惡霸。他其實並不叫恰吉，只是那一頭橘色亂髮、臉上的雀斑和大耳朵，就跟恐怖電影裡的鬼娃恰吉一個樣。爲了保護他，我就叫他恰吉吧。

恰吉是第一個讓我感受到深切恐懼的人。我們一輩子都在處理恐懼這個問題，無論是眞實的或想像出來的。曼德拉說過，勇敢的人不是去感受恐懼，而是去戰勝恐懼。每當恰吉試圖扁我的時候，我是眞的感受到恐懼，但戰勝恐懼又是另外一回事了。

你我的恐懼都是一份禮物，但當時我不可能相信這件事。人類最基本的恐懼，例如怕火、怕跌倒、怕咆哮的野獸等等，都內建到我們身上，成了生存手段。所以有這些恐懼還滿値得高興的，只是千萬別讓這些恐懼占了上風。

恐懼太多不是好事。我們常常因爲害怕失敗或失望、害怕被拒絕，就停住不敢行動；我們並未眞正去面對這些恐懼，反而對它們舉白旗，然後自我設限。

別讓恐懼阻止你追求夢想。你應該把恐懼當作煙霧警報器，當它發出聲響時，要注意觀察四周有什麼狀況，看看是不是眞的有危險，或者只是發出警告。如果沒有出現眞正的威脅，就把恐懼放下，繼續過你的人生。

小學時期讓我十分痛苦的恰吉教會我如何克服恐懼，然後向前走，不過這是在我小時候第一次、也是最後一次打架之後才有的體悟。我在學校人緣很好，就算最難搞的孩子都

是我的朋友，不過恰吉顯然是直接從霸凌工廠出來的。他是個危險的傢伙，整天在找下手的對象；他的個子比我大——不過，學校的其他人也都比我高大就是了。

我對任何人應該都沒有威脅性。我不過是個小一生，體重不到十公斤，還坐在輪椅上；恰吉大了我好幾歲，而且跟我比起來，他簡直就是個巨人。

「我賭你沒辦法打架。」某天早上的下課時間，他向我挑釁。

因爲朋友都在，我就一臉勇敢的樣子，不過我記得那時心裡其實在想：「我都已經坐在輪椅上了，他的身高還有我的兩倍，情況眞的很不妙。」

「我賭我能打。」這是我當時所能想到最好的回應。

我那樣說並不表示我有很多打架的經驗。我來自一個虔誠的基督徒家庭，從小就被教導說暴力不能解決問題；但我不是弱雞，我跟弟弟和堂兄弟們可是一起練過摔角的，我弟弟亞倫到現在都還對我的摔角絕招津津樂道咧。在亞倫長得比我高大之前，我可以摔得他滿地打滾，然後光用下巴就可以把他的手臂壓住。

「你那強壯的下巴幾乎可以折斷我的手臂耶。」他說，「不過當我長大、長高之後，只要用手推你的額頭，你就沒辦法靠近我啦。」

這就是我面對恰吉時的問題所在。我並不是害怕跟他打上一架，只是不知道該怎麼打。我看電視或電影裡的人打架，通常都會拳打或腳踢，但這兩個動作所需要的主要硬

體，我都沒有。

不過這個理由好像無法讓恰吉打消念頭。

「如果你能打，就證明給我看。」他說道。

「好，午餐時間橢圓見。」我吼叫著。

「一言爲定。」恰吉說，「你最好給我出現。」

橢圓是一棟蛋形的水泥建築，矗立在學校的草坪和操場中央，在那裡打架，就好像在馬戲團最中間那一圈打架一樣引人注目。橢圓算是我們學校的主舞臺，在那裡發生的事肯定會傳出去；如果我在那個地方兩三下就被人家撂倒，所有人大概一輩子都忘不掉這件事。

那天上的是拼字、地理和數學課，但整個上午我都在煩惱和學校霸凌王的午餐約會。我單挑恰吉的消息已經無法控制地傳出去了，每個人都想知道我的攻擊計畫是什麼——其實，我自己也很想知道。

我一直想像恰吉一拳就把我擊倒的場面。我祈禱最好有老師發現這件事，然後在我們開打之前就來阻止。不過，我的運氣沒那麼好。

讓人害怕的時刻終於到了。午餐的鐘聲響起，我們這邊的人推著我的輪椅，沉默地往橢圓前進。全校差不多一半的學生都在那裡，有人帶了午餐來，有人則是在打賭。

你應該猜得到，一開始大家都是賭我輸。

「準備好要打一架了嗎？」恰吉問我。

我點頭，但我實在不知道要怎麼個打法。

恰吉也太不知道。

「呃，那我們該怎麼做？」他問道。

「我不曉得。」我回答。

「你總得離開輪椅吧？」他要求著，「你坐在輪椅裡對我不公平。」

恰吉顯然是怕我打帶跑，這倒是給了我一個協商的切入點。打架我不在行，不過，談判我可是挺厲害的。

「如果我離開輪椅，那你得跪著才行。」我說。

單挑一個坐輪椅的，已經讓恰吉被嘲笑了，因此他同意我的提議。於是，我這位強壯的對手雙膝跪地，我也從輪椅上跳下來，準備迎戰——如果我知道沒有拳頭該怎麼打架的話。

我的意思是，這個總不會叫作「肩膀戰」（❶），對吧？

當我和恰吉繞著對方移動時，周圍已經擠了一大群人。到這時候，我心裡還在想，恰吉不會來眞的吧？誰會低級到去攻擊一個沒手沒腳的小孩子呢？

我班上的女生大叫：「力克不要，他會打傷你。」這句話卻刺激到我了，誰要女生可憐啊？我的男性自尊進場了。我直接走向恰吉，想說可以踢他的屁股。

恰吉賞了我胸部兩記硬拳，我向後跌倒，頭下腳上，像一袋馬鈴薯似地重重摔落在水泥地上。

我目瞪口呆！我從來不曾被這樣擊倒過，痛死我了！更慘的是，這實在太丟人了。同學在我身旁擠成一團，大家都嚇壞了。女生更是大哭起來，緊閉雙眼，不想看到這可憐的景象。

我頓時了解到，這傢伙眞的想傷害我。我翻過身來，額頭壓著地面，再用肩膀頂住輪椅，趁勢讓自己立起身來。這個技巧讓我有個硬得起繭的額頭和有力的脖子，這兩樣就足以迅速讓恰吉落敗吧。

我很確定：恰吉對於打敗我一點都不會內疚。我要麼攻擊，要麼逃跑，但眼前我不太可能溜之大吉。

我重新攻向恰吉，這次還帶著一股速度前進。連跳三次之後，我來到恰吉面前，不過在我還沒想好下一步該怎麼做之前，他一拳直接打了上來——就這樣一隻伸長的手臂「碰」地一聲打在我胸口。我猛然倒地，還彈起來一次——好吧，或許是兩次。

我的頭結結實實地撞在冰冷無情的地面上，眼前一片黑。一個女孩的尖叫聲讓我恢復意識。

我祈禱會有見義勇爲的老師出現。爲什麼當你需要訓導主任之類的人時，永遠找不到？

最後，我的視線終於清楚了些，看見邪惡的恰吉在我身邊來回走動。這個肥臉渾球正跳著勝利之舞。

我受夠了。我要擺平這個傢伙！

我翻轉過來、腹部著地，然後用額頭抵著，再一次起身，準備進行最後一擊。我的腎上腺素加速分泌，這一次，我使盡吃奶的力氣快速衝向恰吉，快得出乎他意料。

他開始跪著向後退。我利用左腳推進，一個飛躍，把自己像人肉飛彈一樣射向他。我飛起來的頭部不偏不倚地撞上恰吉的鼻子，他倒了下去。接著我降落在他身上，然後開始打滾。

當我抬頭往上看時，發現恰吉整個人躺平在地上，手抓著鼻子，失控大哭。

我感受不到勝利的喜悅，反而充滿罪惡感。我這個牧師之子立刻懇求原諒：「很抱歉，你還好嗎？」

「啊，恰吉流血了啦！」一個女孩叫了起來。

不會吧？我心想。

果然，恰吉的鼻血正從他粗短的手指之間流出。他拿開手，頓時血流滿面，鮮紅色的血還沾到他的襯衫。

一半的觀衆開始歡呼，另一半則覺得眞丟人——爲恰吉感到丟臉，畢竟他剛剛被一個沒手沒腳的遜咖打敗。這件事肯定沒人忘得掉，恰吉的霸凌時代結束了。他用手捏住鼻子，衝向廁所。

老實說，我再也沒有見過他，他一定是羞愧到休學了。恰吉，如果你有看到，我要跟你說對不起，也希望不再欺負別人的你，日子過得很好。

那天我捍衛了自己，覺得很驕傲，但又深感罪惡。放學後一進家門，我就跟爸媽自首。本來我很怕會受到嚴厲的處罰，結果根本不用擔心，爸媽完全不相信有這種事，他們就是不認爲我有可能打敗一個比我高大、年長又四肢健全的小夥子。

不過，我也沒那麼想讓他們相信就是了。

儘管很多人喜歡聽這個故事，而且從某些方面來說它還滿有趣的，但我就連提到這段往事，感受都很複雜，因爲我向來不崇尚暴力，我相信柔弱是被保留的力量。我會永遠記得我第一次、也是唯一一次打架，因爲我發現當事態變得嚴重時，我能夠克服恐懼，尤其在那個年紀，知道自己有能力保護自己的感覺很好。我學到了我可以柔弱，因爲我已經汲

取了自己內在的力量。

沒手沒腳沒在怕

你可能很清楚自己的人生目的，對生命的各種可能性懷抱無窮希望，對未來充滿信心，懂得欣賞自己的價值，甚至具備良好的態度，但恐懼卻可能拉住你，讓你無法實現夢想。有許多障礙比沒手沒腳更嚴重——恐懼尤其會削弱人的力量。如果恐懼宰制了你的每個決定，你就無法將領受到的祝福充分表現出來，過一個圓滿的人生。

恐懼會拖住你，讓你無法成爲你想變成的那個人。但恐懼只是一種情緒、一種感覺，它不是眞實的！你是不是常常害怕某件事——看牙醫、面試、手術或考試——結果眞正做了之後，卻發現其實沒有你想的那麼可怕？

小學一年級跟恰吉打架那一次，我以爲自己一定會被打得慘兮兮，結果呢？大人經常回復孩提時代的恐懼，夜裡會害怕，因爲他們把在窗邊磨蹭的樹枝想像成要吃掉他們的怪獸。

我看過恐懼讓一個人變得動彈不得——我指的不是對恐怖電影或夜半鬼怪的恐懼。

許多人因爲害怕失敗、犯錯、做出承諾，甚至害怕成功，而失去行動能力。恐懼三不五時會來敲門拜訪，你不必讓它們進來；你請它們走自己的路，然後，你走你的。你有這個選擇。

心理學家說大部分的恐懼是學習而來的。我們天生只有兩種本能的恐懼：一個是害怕巨大聲響，一個是害怕掉落。小學一年級時，我的恐懼是怕被恰吉海扁，但我克服了。那時我決定不要等到覺得自己勇敢——我就是表現得勇敢，最終，我的確是勇敢的！

即使長大成人，我們還是會創造一些不合現實的可怕幻想，這就是爲什麼常有人說恐懼（fear）是「似乎爲眞的假證據」（**F**alse **E**vidence **A**ppearing **R**eal）。我們太把注意力放在自己的恐懼上，以至於認爲它們都是眞的——結果，我們就被恐懼控制住了。

很難想像麥可．喬丹這樣高大又成功的人也會有害怕的時候，但他在進入NBA名人堂的典禮上，公開談到他如何利用恐懼驅動自己，成爲更優秀的運動員。他在演講結束時說道：「或許有一天你會看到五十歲的我在場上打球。噢，不要笑喔，永遠別說不可能，因爲限制就像恐懼，常常只是幻覺。」

喬丹是籃球高手，不見得是人生導師，但他所言極是。請遵循喬丹守則，認清恐懼並不是眞實的，然後超越它們，或是好好利用。要對付最深的恐懼——無論是害怕搭飛機、害怕失敗，或是害怕跟人有深入的關係——關鍵是必須認知到恐懼並非眞實，它是一種情

緒，而你可以控制要如何回應你的情緒。

演說生涯早期，我就必須學會這項功課。那時我非常害怕、緊張，不知道聽衆對我所講的內容會有什麼反應，甚至不確定他們到底有沒有在聽。幸好，我第一場演講的對象是同校的學生，他們本來就認識我，大家也相處得很好。慢慢地，我開始到人數比較多的青年團體和教會演講，聽衆裡面只有少數幾個是熟人，而我也逐漸克服緊張和恐懼。

現在到幾千人、幾萬人的場合演講，還是會讓我害怕。我深入中國的偏遠地區、南美洲、非洲，或是世界的其他角落，而我實在不知道那裡的人會不會接受我。我怕我講的笑話在人家的文化裡有截然不同的涵義，因而冒犯到當地人。但我利用這種恐懼提醒自己事前要跟翻譯及主辦單位順過一遍演講內容，免得到時在臺上發窘。

我學會把恐懼當作能量來源，以及幫助自己進行準備工作的工具。如果我怕演講時會忘了或搞錯什麼，這樣的恐懼會讓我專心地重新檢查演講內容、專心練習。

許多恐懼都可以這樣運用。例如，因爲害怕車禍受傷，你會繫上安全帶；因爲害怕感冒，你就勤於洗手、吃維他命。這些都是好的恐懼。

不過，我們太常任由學習得來的恐懼氾濫，例如有些人擔心會感冒，採取的預防措施竟然是把自己鎖在家裡，足不出戶。如果恐懼讓我們無法實現想做的事、無法作自己想作的人，這樣的恐懼就不合理了。

不要老想著「如果……怎麼辦？」

我有個朋友，她小時候父母就離婚了。她的父母一天到晚吵個不停，即使分手了還是一樣；如今，我的朋友已經長大成人，但她很害怕婚姻。「我不想搞成像我爸媽那樣。」她說。

無法擁有一段長久的關係，只是因爲擔心沒有好結果？居然有這種事？這就是病態的恐懼了，你不能一想到婚姻就想到離婚。請記住丁尼生的詩句：「愛過而失去，勝於從未愛過。」

你如果一直擔心不知何時、何地會發生什麼事，以至於癱在那兒什麼也不敢做，就不可能擁有快樂而滿足的人生；假如因爲擔心被雷打到或被瘧蚊叮咬，大家就整天躺在床上，那這個世界還挺可悲的，不是嗎？

許多恐懼成性的人滿腦子想的都是「如果……怎麼辦」，其實他們應該說的是「爲什麼不……」。

・如果我失敗了怎麼辦？
・如果我不夠好怎麼辦？
・如果他們嘲笑我怎麼辦？
・如果我被拒絕了怎麼辦？
・如果我的成功無法持續下去怎麼辦？

我了解這種想法。在成長過程中，我必須應付幾種主要的恐懼——害怕被拒絕、害怕無法勝任、害怕要依賴他人。我的身體少了標準配備，這件事並不只是我的想像，然而父母常常提醒我，不要一直注意我所缺少的，而是要把焦點放在我所擁有，以及我能創造的事物上——只要我敢跟隨我的想像力。

「要做大夢，力克，而且永遠不要讓恐懼阻礙你朝著夢想前進。」他們說，「你不能讓恐懼支配你的未來。選擇你要的人生，然後全力以赴。」

目前為止，我已經到二十多個國家演講過，在體育館、競技場、學校、教會和監獄傳播希望與信心的訊息。如果不是父母鼓勵我承認並超越自己的恐懼，我不可能做到這些。

把恐懼化為動力，讓我自立自強

你我都不可能像喬丹那樣在一項運動中那麼有宰制力，但你可以學他把恐懼化為動力，幫助自己追求夢想，創造想要的人生。

蘿拉是我在學校的朋友，她很聰明，總是能說出心中所想的，不會浪費時間。一年級的某一天，蘿拉問我：「你在學校有助教幫你，那在家裡呢？誰負責照料你的生活？」

「呃，是我爸媽。」我不確定她究竟想問什麼。

「你覺得這樣好嗎？」

「妳指的是我爸媽照顧我這件事嗎？當然啊，不然我還能怎麼辦？」

「我說的是穿衣服、洗澡和上廁所這類事情。」她說，「你的尊嚴何在？難道你不覺得這些事情不自己來有點奇怪嗎？」

蘿拉並非有意傷我，她喜歡追根究柢，所以眞的很想知道我對生活各個層面的想法，但是她觸及了一個非常敏感的主題。在成長過程中，我最大的恐懼之一就是成了我所愛的人的包袱。擔心自己過於倚賴父母和弟妹的想法從沒離開過我，有時我會在夜裡冷汗直流地醒來，害怕爸媽走了，而我只能依靠亞倫和蜜雪兒。

這種恐懼十分眞實，有時光是想像自己必須依賴他人，我就快受不了了。然而，蘿拉直率地提到尊嚴的問題，卻讓我從被這種恐懼折磨的狀態，轉變成從中得到動力。我之前會有意無意地想到依賴他人過活這件事，但那天之後，我決定正視問題，積極處理。

如果我眞的用心解決這個問題，那麼，我到底可以變得多獨立？我非常害怕成爲自己所愛的人的負擔，這種恐懼給了我驅動的熱情和推動自己的力量。我必須爲自己多做一些，但是該怎麼做？

爸媽一直向我保證他們隨時願意幫助我，不在意抱起我、幫我穿衣服，或是做任何我需要他們做的事。但我連自己喝一口水都辦不到，還有，每次上廁所都得有人把我抱上馬桶座，這些事眞的讓我很困窘。漸漸長大之後，我自然想要更獨立，也希望更能自己照顧自己。而我的恐懼讓我下定決心採取行動。

促使我採取行動的理由之一，是我想到有一天當爸媽都不在時，我會成爲弟弟亞倫的負擔。我之所以常常會有這個念頭，是因爲我覺得可憐的亞倫應該有權利過正常的生活，但大部分時間他都得幫我、跟我一起生活，然後看著我得到那麼多關注，我覺得上帝眞的虧欠他。亞倫有手有腳，但在某些方面他其實很吃虧，因爲他總是覺得他一定得照顧我。

而我決定更自立自強，也是基於自我保護。蘿拉提醒了我，我的生活起居一直仰賴別人的好心與耐心，但我知道不能老是靠別人，我也有自尊心。

有一天我會組成一個家庭，我可不希望到時我老婆必須拎著我四處跑。我還想要小孩，想要當個好爸爸，好好養家，因此我想，我的生活不能全都在這張輪椅上。

恐懼可能是你的敵人，但在這裡，我把它變成朋友。我向爸媽宣布，我要想辦法照顧自己，而一開始他們當然很擔心。

「你不必那樣做啦，我們會讓你一直受到照顧的。」他們說。

「爸、媽，為了你們，也為了我自己，我一定要這麼做。所以現在就讓我們集思廣益一下，看看可以怎麼做吧。」我說道。

於是我們就開始想了。在某些方面，我們的創意成果讓我想起一部老電影《海角一樂園》：羅賓遜一家人因為船難而漂流到一座荒島，他們設計了一些很棒的小東西，供洗澡、煮飯和生活上使用。我知道沒有人是一座孤島，特別是像我這種沒手沒腳的人——我可能比較像半島或地峽吧。

一開始，我的護士媽媽和巧手爸爸想到一個辦法，讓我可以自己洗澡和洗頭。爸爸把蓮蓬頭的旋鈕換成我可以用肩膀推動的控制桿，媽媽則買了一個不必用手擠壓的給皂器，使用的是醫院手術室的刷手洗手檯那種腳踏式幫浦。我們加以改良後，我可以踏在上面，擠出肥皂和洗髮精。

然後，我和爸爸為電動牙刷設計了一個固定在牆上的塑膠座，這樣我按一個鈕就可以

開關電動牙刷，然後用前後移動的方式刷牙（動的是我的頭，而不是牙刷）。

我還跟爸媽說我想要自己穿衣服，所以媽媽幫我做了加上魔鬼氈的短褲，這樣我就可以自行滑進、滑出褲子。另外，襯衫的鈕扣對我來說可是個大挑戰，結果我們找到那種可以甩到頭上、再扭動著套進去的襯衫。

我最大的恐懼讓我們三個人展開一項兼具挑戰與樂趣的任務，這些各式各樣的發明提升了我獨立生活的能力。而遙控器、手機、電腦鍵盤和車庫大門遙控器都是我的恩物，因為我用小左腳就可以操作。

有些我們想到的解決方案不是那麼高科技，例如我會用鼻子去按保全系統的按鈕，還會把高爾夫球杆的杆頭夾在下巴和脖子之間，然後用另一端去開燈、開窗戶。

我們還設計了一些巧妙的方法，讓我可以自己上廁所，細節我就不多說了，理由大家應該猜得到。你們可以在YouTube看到我們設計的一些方法和裝置的影片——別擔心，裡面沒有上廁所的鏡頭啦。

我很感激蘿拉問了我關於尊嚴的問題，也感謝年少的我因為害怕依賴別人、成為家人的負擔，而有了要更加獨立的動機。把這些對一般人來說可能不算什麼的動作做得很好，對我的自信心產生了奇蹟般的影響。但如果不是把某些原本可能是負面的情緒轉變成正面能量，我想我永遠不可能逼自己去做那些事。

你同樣也可以汲取因爲害怕失敗、害怕被拒絕而產生的能量，並運用這股能量爲正面行動提供動力，讓你更接近自己的夢想。

反擊恐懼的以毒攻毒法

你也可以採取以毒攻毒的方式，來反擊可能會讓你陷入癱瘓的恐懼。想想你最大的恐懼是什麼，例如你最怕在一大群人面前演講時，卻忘了自己要講什麼——這種恐懼我頗能感同身受。好，現在就來想像最糟的狀況：你忘了自己想說什麼，然後聽衆把你噓下臺。看到這個畫面了嗎？好，接下來想像一下，你的演講十分精采，聽衆全都起立鼓掌，爲你喝采。

現在，請選擇進入第二個場景，然後把它鎖進你的腦子裡。此後，每當你準備開始演講時，請跳過「噓聲」版，直接走進「起立鼓掌」版。這個方法對我管用，對你應該也是。

另一個類似的方法是進入你眞實生活經驗的記憶檔案區，這裡保存了你曾經不屈不撓、克服挑戰的記憶。例如，當我因爲要見脫口秀天后歐普拉之類的大人物，而覺得恐懼

和緊張時，我會去我的記憶庫找個勇氣的鏡頭。

「跟歐普拉見面嚇著你啦？她會怎樣？切斷你的手腳？拜託喔，二十七、八年來你一直都沒手沒腳，還到處旅行咧。歐普拉，我準備好了，給我抱抱吧！」

無法控制恐懼，只會讓屁股更痛

小時候我有一種看起來很理所當然的恐懼——我怕打針。每次學校說要接種麻疹或流感疫苗時，我都會瞞著媽媽。有一部分理由是我身上能讓醫生下針的地方很有限，別的孩子可以打在手臂或屁股上，我這「短版」的身體只有一個選擇；但我的屁股離地面很近，所以就算醫護人員努力把針打在我屁股比較上面一點的地方，我還是覺得非常痛。打完針之後，我往往一整天都沒法走路。

因爲身體狀況的關係，我從小就像醫生們的針插，也讓我對打針產生很深的恐懼。我因爲光看到針筒就昏倒而出名。

小學時有一次，兩個顯然不知道我過去的紀錄、也不太了解人體解剖學的校護一人一邊地把我架在輪椅上，然後在我兩個肩頭各給了一針——我的肩膀可沒有太多肌肉和脂

肪耶。那兩針簡直把我痛死了，痛到我得請我的朋友傑瑞幫忙推輪椅，因爲我快昏倒了。傑瑞推著、推著，然後，我眼前一黑，果然在輪椅上昏了過去。可憐的傑瑞不知道該怎麼辦，只能飛快地把我推到理科教室，請老師幫忙。

媽媽知道我怕死打針了，所以她事先不會跟我和弟弟、妹妹說我們去找醫生，是爲了打預防針。大約在我十二歲時，我們有過一次可怕的經驗，後來成爲我們家的傳奇故事。那天，媽媽說要帶我們去做學校要求的「身體檢查」，坐在等候室時，我就覺得有點不對勁。我們看到一個年紀跟我差不多的小女孩走進檢查區，接著傳來一陣慘叫。她挨了一針。

「你們有聽到嗎？」我問亞倫和蜜雪兒，「他們也會給我們打針啦！」

恐懼襲來，我陷入恐慌、大哭大叫，跟媽媽吵著說我不要打針，太痛了，我要回家。因爲我是那裡年紀最大的孩子，於是其他更小的小朋友就學我這英勇又醒目的模樣，全都開始鬼吼鬼叫，哀求著要回家。

我們的護士媽媽當然不爲所動，對付這種打針大戰，她可是老手了。她把我們這三個又哭又叫、拳打腳踢的傢伙拽進檢查室，就像憲兵把喝醉的大兵抓進禁閉室一樣。

眼看恐慌和哀求完全無濟於事，我試著跟醫生商量：「你可不可以讓我換成用喝的？」邊講還邊號哭。

「恐怕不行喔，小朋友。」

於是我決定採行B計畫，也就是弟弟（Brother）計畫，要老弟亞倫協助我脫逃。我已經想好辦法了：亞倫先假裝從檢驗檯上跌下去，分散醫生的注意力，同一時間，我奮力蠕動著跳下輪椅逃走。但是我被媽媽從中攔截，而小妹蜜雪兒那個機會主義者則趁亂飛快逃出。一位路過的護士在走廊逮到她，但蜜雪兒用力伸長手腳卡住門口，所以他們沒辦法把她塞進檢查室。她是我的英雄。

整間診所都聽得到我們歇斯底里般的鬼哭神號。醫護人員衝了進來，因爲那聲音聽起來好像我們正被嚴刑拷打。不幸的是，增援部隊一看到那副景象，馬上站到我們的敵方去。有兩個人用力夾住我，然後給了我一針。我像個妖怪一樣尖叫。

當他們把針頭擠進我的屁股時，我還是不停地扭來扭去；而因爲我一直亂動，所以已經插進去的針頭又被擠了出來。結果，醫生又得再打一次！我的尖叫聲大到讓停車場裡的車子警報器都響了起來。

所有人——我們兄弟姊妹、媽媽跟醫護人員——那天到底是怎麼撐過去的，我不知道。我們三個小孩是一路大哭著回家的。

比起乖乖讓他們打針，我強烈的恐懼反而造成更大的痛苦。事實上，因爲沒有控制好自己的恐懼，我的痛楚變成兩倍——那次打完針後，我有兩天不能走路，不只一天耶！

所以，請把我這個小故事謹記在心：當你讓恐懼掌控你的行動，只不過是給自己的屁股找更多苦頭吃罷了。

注❶：原文是shoulder fight，也就是騎馬打仗這個遊戲，不過力克在此是拿自己沒有手臂，只能用肩膀（shoulder）打架來開玩笑。

第七章

跌倒七次，要爬起來八次

你會失敗，因為你是人類；你會跌倒，因為道路崎嶇。但你要知道，失敗也是生命禮物的一部分，所以要把它們利用到極致。

你可以想像，小時候，我有一段很長的跌倒和倒栽蔥史。我會從桌子、高腳椅、床、樓梯和斜坡掉下來，而且因爲沒有手可以止跌，我常常摔到下巴，更別提鼻子跟額頭了。我跌得遍體鱗傷的經驗可多著。

但我從來不會一蹶不起。有句日本諺語說的正是我的成功公式：「跌倒七次，爬起來八次。」

你失敗，我失敗；我們之中最厲害的人失敗過，其他人也是。那些無法從挫敗中站起來的人，常常把失敗當結局。但我們應該記住，人生並非一試定終身，而是個試誤的過程。那些成功的人都從愚蠢的錯誤中捲土重來，因爲他們覺得失敗只是一時的，並視爲可以學到東西的經驗。所有我認識的成功人士都曾經搞砸過，但他們卻常說，失敗是他們得以成功的關鍵。倒下時，他們不會放棄，反而從中看出自己的問題，然後努力去尋找更具創意的解決方案；如果失敗了五次，他們會更努力地再試五次。對此，邱吉爾有精闢的見解：「成功是從一個失敗前進到另一個失敗，其間卻熱情不減的能力。」

如果你無法克服挫敗，或許是因爲你把失敗個人化了。失敗對你來說，最多不過是像三振讓一個偉大的棒球選手坐到板凳區一樣，只要一直待在場子裡並持續揮棒，你依然會是個巨砲，而不會因爲失敗就變成輸家。如果你不願意做該做的事，那你的問題不在失敗，而在你自己。想要獲得成功，你必須認爲自己值得成功，然後負起責任，讓成功實現。

演講時，我會這樣示範我的失敗哲學：倒下來、腹部著地，然後就這樣繼續跟聽眾講話。你可能以爲沒有四肢的我不可能自己爬起來，我的聽眾也常常這麼想。

我爸媽說我一、兩歲時就開始教自己從水平位置爬起來。他們會放幾個枕頭，然後哄我利用枕頭撐起身體，但我偏要用自己的方法——當然是困難的那種。我沒有利用枕頭，而是爬到牆壁、椅子或沙發旁邊，用額頭抵著它，然後一點一點地往上爬。

這樣做一點也不輕鬆，如果你願意，可以試試看——腹部朝下趴在地板上，然後試著不借用手腳的力量而跪起來。這個樣子不太優雅，對吧？但是，站起來和倒在地上，哪個感覺比較好？你天生不是在地上打滾的，你要起身，一次一次又一次，直到全然釋放你的潛力。

我在演講中示範起身的技巧時，偶爾也會出點小差錯。如果是教室或會議室，我通常會在一個升起的平臺、舞臺或甚至桌子上演講。某次在一間學校，我在桌子上倒下後才知道，演講開始前有人很好心地替桌面打了蠟，結果那桌面比奧運溜冰場還滑。我試著找個區塊把上面的蠟刮掉，好讓我可以使力，可惜我運氣沒那麼好。結果我得當場停止這個示範課程，並且呼救：「誰能幫幫我？」眞是有夠糗。

還有一次，我在休士頓向一群有頭有臉的人進行募款演講，其中包括佛羅里達州前州長傑比·布希（**Jeb Bush**）和他的妻子。在準備提到永不放棄的重要性時，我一如往常地

倒下，腹部著地；聽衆也陷入沉默，一如往常。

「我們時不時會遭遇失敗，」我說，「但失敗就像跌倒，你必須不斷地站起來，永遠不要放棄夢想。」

大家都聽得很入神。正當我準備示範就連我都有能力再站起來時，突然有個我從沒見過的女人從演講廳後頭衝了出來。

「我來幫你。」她說。

「可是，我不需要幫忙啊，」我咬牙切齒地輕聲說道，「這是我演講的一部分。」

「別傻了，讓我幫你吧。」她很堅持。

「這位女士，拜託你，我眞的不需要幫忙，我現在正講到重點。」

「好吧，親愛的，如果你有把握的話。」說完她便轉身回到自己的座位。

我想，聽衆看到這位女士坐下去，就跟看到我爬起來一樣，都鬆了一口氣吧！看到我光從地板上起身就要花費那麼多力氣，大家通常都很感動。他們對我的努力奮鬥感同身受，因爲我們每個人都歷經掙扎。當你的計畫碰上瓶頸，或是你遇到困難時，希望你也能記住這點。你的試煉與磨難是人類共有的經驗。

即使你的人生有明確的目標，而你也對未來懷抱希望與信心，懂得欣賞自己，保持正面態度，並且不讓恐懼拖住你，你還是得承受挫折與失落。但千萬不要認爲失敗等於毀滅

或結束，因爲你其實是在掙扎之中體驗生命，你還在場子裡。我們所面臨的挑戰可以讓我們變得更強大、更好，並且準備得更充分，以迎接成功。

失敗帶來的禮物

你可以將失敗視爲禮物，因爲它們常常會幫助你突破。那麼，我們可以從失敗和挫折之中得到什麼好處呢？我能想到的至少有四點：

1. 失敗是偉大的老師。
2. 失敗可以鑄造品格。
3. 失敗可以給你動力。
4. 失敗讓你對成功心懷感恩。

1. 失敗是偉大的老師

沒錯，失敗是偉大的老師。每個勝利者都曾是失敗者，每個冠軍都得過第二名。費德

勒（Roger Federer）被視爲史上最偉大的網球選手之一，但他也不是每一局、每一盤或每一場都贏，他也曾經回擊掛網、發球過猛出界，每場比賽都有好幾十次沒辦法隨心所欲把球打到他想要的地方。如果費德勒每次擊球失敗就放棄，那他就會是個失敗者；但相反地，他從失誤和失敗中學習，並且一直待在場子裡。這就是爲什麼他會成爲冠軍。

費德勒是不是一直試著完美出擊，希望每局、每盤、每場都贏？當然是啊，而你在你所做的每件事情上也應該如此。努力去做，勤於練習，掌握基本要領，然後永遠全力以赴，並且要知道失敗在所難免，因爲要精通某事，失敗是必經之路。

我剛展開演說生涯時，常常連一個聽衆也沒有，我弟弟亞倫總是拿這件事來取笑我。我會拜託學校和某些團體給我個機會去演講，但通常會被拒絕，理由是我太年輕、沒有演講經驗，或是外形太奇特之類的。有時我會感到挫折，但我也知道我正在學習進入這行，還在摸索成爲一名成功的演說家需要懂些什麼。

亞倫讀高中時會載著我滿城跑，尋找願意聽我演講的人，只有幾個也好。爲了有個經驗，我可以免費演講。那時我的演講費常被認爲太貴，因此我得一一打電話給布里斯班的每一所學校，表明我願意免費去講，但大部分的學校一開始都拒絕我，而每一個「不」都讓我更努力地去找下一個「好」。

「你都不曾放棄喔？」亞倫問道。

我沒有放棄，因爲每當我被拒絕時，我眞的覺得很受傷，所以我知道我找到自己的熱情所在了。我眞的想成爲演說家。然而，就算我努力找到願意聽我演講的人，事情也不總是很順利。在布里斯班的某所學校，我一開始就講得很糟，有事情讓我分了心，結果愈講愈亂，一直重複，搞得我汗流浹背，眞想找個地洞鑽進去，永遠消失算了。我眞的講得好爛，爛到我覺得風聲一定會傳出去，然後這輩子大概不會有人再找我演講了。好不容易講完、離開那所學校時，我覺得自己簡直是個笑柄，我的名聲全毀了！

我們對自己可能都太嚴苛了——那天的我正是如此。然而，那次表現不佳卻讓我更專注於自己的夢想，努力磨練表達能力。一旦你接受盡善盡美只是個目標，把事情搞砸也就沒那麼難以承受了。踏錯的一步仍是一步，你因此學到一項教訓，下次就有機會可以做對。

我了解到，如果失敗了就放棄，你將永難再起；但假如你能從失敗中學到教訓，並且一直全力以赴，就會得到回報——不只是獲得他人的認可，也會因爲知道自己確實盡全力地度過每一天，而得到滿足感。

2. 失敗可以鑄造品格

把事情搞砸卻讓你變得更強、更適合成功，這種事可能嗎？當然！沒能摧毀你的，會讓你變得更強壯、更專注、更有創造力，並且更堅定地追求夢想。你可能急於成功，這也沒什麼不好，但耐性是美德，而失敗肯定會開發你這方面的特質。相信我，我已經學到我的計畫不一定吻合上帝定的時程，祂自有祂的時間表，我們只能等待揭曉。

我在和山姆舅舅一起開創製造和行銷斜躺式自行車的事業時，真切地體會到這一點。我們二〇〇六年就開始了，只是到現在生意都還沒開張，但每個挫折與失誤都讓我們多學習一點，也更靠近目標一些。在建立事業的同時，我們無疑地也在鑄造自己的品格。我了解到，有時即使盡了全力，還是不足以讓事情順利開展，時機也很重要。這家公司創立時，正好碰上經濟衰退，我們必須有耐心、堅持下去，等待時機和趨勢站到我們這邊來。

有時你就是得等這個世界追上來。在真正做出一顆能賣錢的燈泡之前，愛迪生的實驗失敗了超過一萬次，所以他說，許多自認失敗的人真的不了解，當他們放棄時，事實上已經離成功很近了。儘管歷經重重失敗，他們其實就快成功了；然而就在局勢即將轉向他們之前，這些人卻放棄了。

你永遠不知道會在下個轉角處碰見什麼，或許那裡有實現你夢想的方法。所以你必須

振作起來、始終堅強，並持續奮鬥。失敗了又怎樣？跌倒了又怎樣？愛迪生也說了：「每個錯誤的嘗試都能讓你往前邁進一步。」

如果你盡了全力，剩下的上帝會接手，該來的總是會來。你必須有強烈的求勝性格，而只要你願意敞開心胸接受，每次的失敗都能鑄造你的品格。

二〇〇九年，我到加州的橡樹基督教高中演講，這所小型學校的美式足球隊曾經連續六次奪得聯盟冠軍。我去演講時，遇到學校的創辦人大衛．普萊斯，這才了解他們的球隊是從哪裡學到了品格的力量。

大衛曾經是個律師，在好萊塢一家大型律師事務所工作，客戶包括電影明星和製片廠。之後，他去替一位企業家工作，那位企業家在加州各地擁有旅館、度假區和土地，包括幾處高爾夫球場。大衛嫻熟經營，他發現大部分的高爾夫球場都經營不善，因爲這些球場的營運者通常是高爾夫球專業人士，而他們從來沒好好學過經營實務。

有一天，大衛跟他的老闆說，他想向他買一座高爾夫球場。

「首先，你是我的員工，我爲什麼要賣東西給你？其次，你根本不懂高爾夫球；第三，你又沒錢。」他的老闆說道。

一開始，大衛沒辦法說服老闆，但他並未放棄。他堅持不懈、發揮纏功，直到老闆相信他的夢想，終於把他想要的高爾夫球場賣給他。這是大衛擁有或承租的三百五十座高爾

夫球場的第一座。

後來當高爾夫球場的生意走下坡時，大衛就把球場賣掉。如今，他在全美各地購買、承租和經營機場。大衛從失敗中學到些什麼？耐心和毅力，這是肯定的。他從未放棄夢想，當高爾夫球市場衰退時，他審慎評估，然後了解到自己眞正的專長並不是經營高爾夫球場，而是經營事業，因此他便把這項技能轉到別的領域。

大衛目前是我「沒有四肢的人生」這個非營利組織的董事會成員，他告訴我，承受的困難愈大，品格的力量愈強。「力克，如果你生來四肢健全，我不認爲你有一天會像沒有四肢一樣成功。」大衛說道，「如果不是因爲只要一看見你的樣子，立刻就能了解你已經將令人難以置信的負面事物轉爲正面，會有多少孩子願意聽你說話？」

當你遭遇挑戰時，請記住大衛的話。每條堵住的路，都有一個出口；每一種「無能爲力」之中都有「能力」。你來到這個世界是有作用的，所以不要因爲輸了一次就認爲永遠不可能贏；只要活著，總會有出路。

我很高興自己失敗過卻不屈不撓。我所遇到的挑戰讓我更有耐心，也更頑強，這些特質在我的工作與休閒生活當中隨處可見。我最喜歡的活動是釣魚，爸媽在我六歲時第一次帶我去，他們會把我的釣竿固定在地上，或者放在支架上，直到有魚兒上鉤。這時我就會用下巴壓住釣竿，跟魚兒比持久戰，直到有人來幫我。

有一天我釣運不佳，但還是不氣餒，只管盯著釣線，足足盯了三小時。雖然太陽已經把我烤得酥脆紅透，但我下定決心那天非釣到一條魚不可。爸媽到下游去釣了，所以當魚兒咬餌時，那裡只有我一個人。我用腳趾踩著手上的魚線，並且大叫：「爸、媽！」然後他們就跑了過來。當爸媽拉起釣線時，發現那條魚竟然有我兩倍大。如果我沒有堅持下去、拒絕放開腳趾，就不可能把這條魚釣上來。

當然，失敗也能塑造出謙卑的性格。我高中的會計課被當，這是個讓人謙卑的經驗。我很怕自己並未具備成爲數字高手的能耐，但我的老師鼓勵我、指導我。我不停地研讀，幾年後，我取得會計與財務規畫雙學位。

當我還是個學生時，很需要學習謙卑的功課；我必須失敗，如此才能明白我並未知道所有該知道的。而最終，謙遜讓我變得更強。作家多瑪斯．牟敦（Thomas Merton）說：「謙卑的人不怕失敗；事實上，他毫無所懼，甚至也不擔心自己，因爲全然的謙卑意味著對上帝的力量有全然的信心——在上帝之前，其他任何力量都沒有意義，對祂而言也沒有所謂的障礙。」

3. 失敗可以給你動力

我們對失敗或挫敗的回應可以是絕望與放棄，但也可以選擇將挫折、失敗視爲學習經驗和改進的動力。我有個朋友是健身教練，我聽過他對舉重訓練的學員說：「去失敗吧！」這句話眞是鼓舞人心啊，不是嗎？但他這麼說的理論是，練舉重時，你一直增加重量，直到肌力全部耗盡；然後下一次，你就可以試著超越那個極限，打造更多的力量。

無論運動或工作，成功的關鍵之一就是練習。我把練習想成通往成功的失敗經驗，而我可以提供一個絕佳案例，故事主角是我和我的手機。或許你覺得智慧型手機是偉大的發明，但是對我來說，這可是天上掉下來的禮物。有時我不禁要想，發明智慧手機的人一定有想到我這種人，才會設計出這樣的裝置，讓沒手沒腳的我可以用這種手機講電話、發email、傳簡訊、放音樂、錄下講道訊息和備忘錄，還可以查詢天氣和世界大事——這一切，只靠我的腳趾頭就能搞定。

不過，智慧手機也不是完全爲我設計的，因爲我全身上下唯一可以操作觸控式螢幕的地方，距離我說話的部位也太遠了點。大部分時間我可以使用擴音器，但是在機場或餐廳等公共場所時，我並不想讓周遭的人都聽見我在說什麼。

我必須想出一個辦法，讓我在用腳撥號後可以把手機固定在比較靠近嘴巴的地方。

我所想出來的法子爲「折疊式手機」這個名詞下了新的定義（❶），也讓我學到鼻青臉腫的一課，了解失敗在成功當中扮演的角色。我足足花了一個禮拜練習，試著用我的小左腳把手機拋上肩膀，再用臉頰和下巴固定手機，這樣我就可以講電話啦。（小朋友千萬不要學！）你可以想像我在練習的過程中失敗了許多次，而且因爲甩手機時被打到，我的臉上有一堆「烏青」，看起來就像被滿滿一袋硬幣打到似地。

我只在旁邊沒人的時候練習，不然人家會以爲我是個手機自虐狂。我不會讓你知道我的頭和鼻子被手機打到多少次，也不會告訴你，爲了精通這項任務，我弄壞幾支手機。我受得了被打個幾下，受得了換幾支手機，但我受不了放棄這件事。

手機每次打到我的臉，都會給我動力，讓我更想練好這個絕招，最後，我辦到了！不過人生就是這樣，我練好沒多久，藍芽頭戴式耳機就出現了。於是我那著名的手機拋接功夫成了科技遺風，最多就是當朋友無聊時，我拿來娛樂大家。

希望你可以把失敗和跌倒視爲激勵的來源。未達期望、被三振、犯錯或搞砸沒什麼可恥的，可恥的是你沒有從失誤中得到動力，努力讓自己在場子裡存活更久。

4. 失敗讓你對成功心懷感恩

失敗帶來的第四個禮物是：它會讓人懂得對成功心懷感激。相信我，被手機打了一個禮拜之後，當我終於有辦法將它固定在肩上時，我的內心充滿無限的感恩。事實上，你為了實現目標付出愈多，最後終於成功時，心裡就會愈感激。有多少次，在取得重大勝利後，你回首來時路，心裡覺得漫長奮戰之後的成功果實眞是甜美啊！承認吧，爬山的過程愈辛苦，山頂的景致就愈動人。

小時候，我最喜歡的《聖經》故事是約瑟的故事。約瑟深受父親喜愛，但有些驕傲，後來被嫉妒他的哥哥們賣去當奴隸。他有很長一段時間過得很苦，被人誣陷而坐牢、一次又一次地被他所信賴的人背叛。然而，約瑟並未放棄。他沒有被苦毒或失敗擊倒，堅毅不屈，最後成了埃及的管理者，並拯救了他的同胞。

約瑟奮鬥與登上高位的過程，有許多值得學習的地方。我從他的故事中了解到：沒有經歷痛苦，成功或許就不會到來；儘管我的人生肯定比大多數人艱難，但這世上還是有人承受比我更大、更多的苦，而他們也成就了更大、更多的事；另外，儘管上帝愛我們，但祂並未承諾要給我們一個輕省好過的人生；最後我看到，一旦約瑟擺脫他所遭受的衆多苦難與背叛，他成了偉大而公正的埃及首相，品嘗勝利的滋味。

當你全心全意實現某個目標時，一路上會經歷患難、苦痛，然而一旦突破困境，所得到的成就感又是那麼美妙，讓你只想以它爲寄託，繼續成長，不是嗎？我認爲這樣的心態正是讓人類能夠走到這番境地的主要原因之一。我們慶祝艱苦的勝利，不只是因爲我們努力存活了下來，也是因爲人天生就是要持續成長，並尋求更高層次的成就感。

當上帝要我爲目標努力再努力、在我的人生路上設了一個接一個的路障時，我眞心相信這是祂要我爲將來更棒、更美好的日子做準備。祂向我們拋出挑戰，因爲祂知道一旦經歷失敗，我們就會成長。

當我回想自己在那麼小的年紀必須克服的一切——痛苦、不安、傷害和孤獨——我並不覺得難過，而是心懷謙卑與感恩，因爲戰勝那麼多挑戰之後，我覺得成功的果實更是甜美。最終，苦難讓我變得強壯，而且更重要的是，我因此更有能力去接觸其他人。如果不是因爲自己承受過那麼多苦，我根本沒辦法幫別人處理他們的痛苦，沒辦法感同身受。接近青春期時，知道自己克服了些什麼讓我更有自信，而這種新的自信反過來讓別的孩子願意接近我，我的身邊總是圍繞著一大群男男女女的朋友。被人家注意眞好！我總是會駕著輪椅在校園裡晃，沐浴在衆人的溫暖之中。

最後，你知道的，總是會走到「政治」這一塊。我鼓起勇氣競選學生會主席，這是全校一千兩百位學生的領袖——我們學校採國、高中混合制，是澳洲昆士蘭最大的中學之

一。

我不但是學校第一位競選學生會主席的身障生，對手還是學校有史以來最好的運動員之一——馬修・馬凱（Matthew McKay），他現在是澳洲知名的足球選手。班上同學提名我去競選學生會主席，讓我很驚訝，而我的老師也鼓勵我參選。我以多樣性與多元文化主義爲政見，競選承諾包括在運動會舉辦輪椅大賽。

結果我獲得壓倒性的勝利（抱歉啦，馬修）。媽媽到現在還保留當時《信使郵報》相關報導的剪報，上面有一張我很大的照片，標題則封我爲「勇氣主席」。

那篇報導引述了我的話：「我覺得輪椅上的孩子都應該去嘗試每一件事！」

我青春時期的這句口號，可能不像耐吉的「Just Do It」那麼響亮，但對我來說也很有用。你會失敗，因爲你是人類；你會跌倒，因爲道路崎嶇。但你要知道，失敗也是生命禮物的一部分，所以要把它們利用到極致。夥伴們，不要停下來，去嘗試每一件事吧！

注❶：折疊式手機的英文為flip phone，flip意為「彈開」，但力克在此取用另一個字義「輕拋」，來呼應他練習抛接手機的過程。

第八章

面對未知，迎向改變

人們常常抗拒改變，不過說真的，誰會想要過一個沒有變化的人生？某些最棒的體驗、成長與收穫，往往來自改變。

在我十二歲時，我們一家人從澳洲搬到美國。想到要在連一個朋友也沒有的地方重新開始，我簡直嚇得半死。在前往新國家的飛機上，我們三兄妹一直在練習美國腔，心想這樣才不會被新同學欺負。

我對自己奇怪的模樣無計可施，但我總能修好我的外國口音吧？後來我才知道，其實大部分的老美還滿喜歡澳洲口音的，幾年前《鱷魚先生》這部澳洲電影還在美國大賣呢。爲了跟班上同學有同樣的口音，我反而失去讓女生留下深刻印象的機會。

搬到美國是我人生早期的重大變化之一，而試著讓自己的口音聽起來像個美國人並不是我唯一犯的錯。新學校很棒，但我一開始非常辛苦。離開從小生活的地方、轉學、交新朋友，對任何孩子來說原本就很辛苦，而除了新來乍到的困難之外，我看起來還不像個「正常」孩子——我是全校唯一坐輪椅、唯一需要有助教陪在身旁的學生。大多數青少年擔心臉上如果有青春痘會被取笑，你能想像我都在煩惱些什麼嗎？

我在澳洲墨爾本的第一所學校就讀時，已經費盡力氣想得到認同；後來，我們搬到布里斯班，我又花了許多精力讓同學相信我這個人夠酷，可以跟大家一起混。現在，我又得從頭開始了。

誰會想要過一個沒有變化的人生？

當我們經歷轉變時，有時不一定會意識到它對我們的衝擊。被迫離開自己的舒適區，通常會產生壓力、疑慮，甚至憂鬱，無論那個轉變有多輕鬆、容易。你或許了解你人生的目的，深懷盼望，信心堅定，而且具備強烈的自我價值感，有正面的態度和面對恐懼的勇氣，以及從失敗中東山再起的能耐，但如果遇到生命中不可避免的變化，你就崩潰了，那你的人生永遠無法前進。

人常常抗拒改變，不過說眞的，誰會想要過一個沒有變化的人生？某些最棒的體驗、成長與收穫，往往來自改變——搬到另一個城市、換工作、上不同的課程，或者進入一段比較美好的關係等等。

人生是一段從兒童期進入青春期、成年期，再進入老年期的發展過程，不改變根本不可能，而且那樣也太乏味了吧。有時必須有耐心，因爲我們無法一直控制、影響改變，甚至想要的變化也可能不會在我們期待的時刻出現。

有兩種主要類型的改變可能成爲我們生命中的挑戰，甚至讓日常生活陷於混亂。第一種是外來的，第二種是內在的。我們無法控制第一種改變，但我們可以、也應該掌控第二

種。

爸媽決定搬到美國的事，就跟我天生沒手沒腳的狀況一樣，我都沒什麼發言權，這些不是我能決定的。然而我有能力決定如何面對遷居美國這個變動，就好像我面對自己的身體障礙一樣。我接受了這件事，並決定竭盡全力。

你也有同樣的能力去處理那些你不想要或沒有預期到的改變。快速且無法預料的變化——例如失業、生病、發生意外或摯愛的人過世——常常讓我們措手不及，所以你一開始或許沒有意識到改變生命的重大事件正在進行。在掌控你不想要或突然發生的變化時，第一步就是保持警覺，迅速認知到你即將進入一個新階段——無論是好是壞。光是覺察到變化就可以減輕壓力。然後，心裡頭要想著：「好，這是全新的狀況，可能有些奇怪，但我必須保持冷靜，不要驚慌，要有耐心。我知道最後一切都會很好。」

當我們移居美國時，我有一大堆時間去思索生活有哪些方面正在發生變化，然而某些時刻，我還是會覺得承受不住、混亂無序。有時，我好想大叫：「我要回去過眞正的生活！」

你可能也會有這樣的時刻。現在回頭看，我發現還眞有趣，因爲那時我很想回澳洲，但現在的我卻非常喜歡住在加州。希望有一天你也能像我一樣笑看人生種種。要知道，經歷生命中的重大轉變時，覺得挫折和憤怒是很自然的，所以給自己一些時間調整吧，讓自

己對一些意料之外的顚簸變動做好準備，是很有幫助的。就像搬到一個新城市，你總得給自己時間去找到生活之道，學習適應當地的風土民情，讓自己融入。

生活整個打包，運到地球另一端

我到美國的頭幾個禮拜，就常常感受到文化震撼。其實在上學的第一天，當全班同學站著面對國旗、背誦效忠誓詞時，我就有些驚慌，因為在澳洲，我們從來沒這麼做過。我覺得自己好像走錯地方了。

還有一天，警報器突然大響，老師要我們全部躲到桌子底下。我還以為是外星人來襲了，結果只是地震演習。地震？

當然了，我這沒有四肢的身體照例會引來神經兮兮的眼光、粗魯的問題和怪異的評論。美國中學生對我如何上廁所這件事的好奇心之強，眞是令我難以置信，我甚至開始祈禱地震來襲，好讓同學不要再對我的上廁所戰術問個不停。

我還得適應經常性的教室異動。在澳洲上課時，所有科目都是在同一間教室進行，我們不會像袋鼠一樣整天移來移去；但是在美國這裡，我們好像不停地從一間教室「跳」到

另一間教室。

對於生活中出現的這個大變化，老實說我處理得不是很好。過去我一直是好學生，但是到了新學校，我很快就落後了。由於正規的六年級已經沒有空間容納新學生，所以學校安排我去上高級班，結果我的成績退步了。回頭看看，我想當時只是因爲壓力太大了——壓力怎麼可能不大？我的生活可是被整個打包，運到地球的另一端耶。

我們甚至不再擁有自己的房子。爸爸爲貝塔叔叔工作，我們全家人跟他們一家住在叔叔的大房子裡，直到有了自己的房子。我不常看見爸媽，因爲他們老是忙著在找工作、通勤上班，或是在找住的地方。

我討厭這樣。那時的我身心靈都承受太多，因此成了一隻小烏龜，縮回自己小小的殼裡。下課和午餐時間，我會逃開，有時躲到操場附近的灌木叢後面，不過我最喜歡躲在麥坎更先生管理的其中一間音樂教室，他是樂隊和音樂老師。

麥坎更先生是一位很棒的老師。他在學校一天大概教八、九堂課（我覺得啦），非常受歡迎，簡直就像搖滾巨星。老師的弟弟杜夫是知名貝斯手，曾經跟「槍與玫瑰」和其他一些頂尖搖滾樂團合作過。這正是從澳洲移居加州另一個奇特的地方，我覺得我們好像把平凡的家庭生活都留在澳洲，進入了一個超現實的流行文化王國。我們就住在洛杉磯和好萊塢外圍，所以常常會在雜貨店或購物中心碰到電影或電視明星。我們班上一半的同學都

想成爲演員，或者正在當演員；放學後打開電視，我可能就會看到歷史課班上某個人還不錯的同學出現在頗受歡迎的電視劇裡。

我的生活在很多方面都改變了，眞的讓我難以消受，也失去了好不容易建立起來的自信心。我在澳洲已經被同學接納了，但是在美國，我是個身在異鄉的外地人，有著怪異的口音，以及更怪異的身體——或者，至少我當時的感受是這樣。麥坎更先生發現我躲在他的音樂教室裡，就鼓勵我走出去、多跟同學混在一起，但我就是提不起勁。

我在對抗一個我無法控制的變化，而沒有把注意力放在我能調整的地方——我的態度和行動。我眞不該那麼笨才對。當時我只有十二歲，但已學會把焦點放在我的「能」，而不是我的「不能」；我已經可以接受缺少四肢的事實，也努力成爲快樂、自足的孩子。然而，移居這件事讓我感到十分震驚。

你有沒有注意到，當你進入生命重大的轉變期時，你的感受力會變得比較強？在痛苦地分手後，你會不會覺得好像每部電影、每齣電視劇都是演給你看的？收音機傳來的每首歌，是不是彷彿都替你唱出你的心痛？這些被強化的情緒和感受可能是你飽受壓力或是被丟入一個陌生環境時觸發的生存工具，它們讓你保持高度警覺，所以是很有價值的。

我仍然記得，即使我因爲離開澳洲而心傷，我總能在眺望新居地的群山與海灘落日時，找到平靜與慰藉。我現在還是覺得加州很美，但那個時候似乎更美。

不論是正面或負面，改變都會是強而有力且讓人害怕的經歷，因此你的第一反應總是與之對抗。我在大學的商業課程裡學到，多數的大企業都會指定高階管理人作爲「變革推動者」，他們的任務就是在重大轉變發生時——例如合併、成立新部門，或是採取新的做生意方式——讓心不甘情不願的員工振作起來。

身爲自創事業的總裁，我了解每個員工在面對任務上的變化時，都有自己的一套因應之道。總有一些人會對新的體驗感到興奮，但大部分人其實是抗拒的，因爲他們安於現狀，或是擔心生活會變得更糟。

正面改變的五個階段

每個人都知道世上本來就沒有永遠不變的事物，但奇怪的是，當被迫離開舒適區時，我們又常常變得害怕、不安，有時甚至覺得憤怒、怨恨。人即使面臨惡劣的情況——充滿暴力的親密關係、走進死胡同的工作、危險的環境——還是常常不願另闢蹊徑，因爲他寧願面對已知，而不是未知。

最近我認識了喬治，他是個物理治療師兼體適能教練。我告訴他，我的背很不舒服，

需要一些運動來強化背部，但我不想健身，因爲我忙於旅行和經營公司。喬治的回答很經典：「如果你希望一輩子都要應付背愈來愈痛的問題，那就祝你好運啦。」

他嘲笑我！我眞想用頭給他敲上一記。但我了解他其實是想激勵我，強迫我正視一個事實：如果我不願調整自己的生活型態，就等著自作自受吧。

他的意思是：「力克，如果你不想改變就不要改，不過，能讓你的背舒服一點的，只有你自己。」

我稱職地扮演了抗拒調整生活型態的壞榜樣。然而，我見過狀況更糟的人，明明可以讓人生變得更好，但他們就是不願意。如果讓人生變好代表要進入不熟悉的環境，他們常常會覺得恐懼，害怕放棄熟悉的處境，即使那個處境糟透了。另外，有很多人也眞的不願爲自己的生命負起責任。美國總統歐巴馬曾經強調個人責任的重要：「我們自己就是我們所等待的改變。」然而，即使可能溺斃其中，還是有人抗拒形勢。

某些人寧可撒手不管，也不想負起責任，因爲負責任這件事令人卻步。當生命給了你一張爛牌，毀了你的牌局、打亂你的計畫，你大可以怨天怨地怨父母，或是責怪三年級時偷你三明治的那個小孩，但怨天尤人最終對你沒有任何好處。負起責任是掌控生命中的迂迴、改變人生道路沿途狀況的唯一方法。我的經驗告訴我，要做出正面改變必須經歷五個階段：

1. 認知到改變的需要

說起來眞可悲，我們往往後知後覺，很慢才會認知到採取行動的必要。即使感覺不對勁，我們還是安於例行公事，並且出於惰性或恐懼，選擇了「不做」，而不是「做」。通常一定要被嚇到了，我們才會承認非求新求變不可。企圖自殺對我而言就是這樣的時刻。我以勇者之姿撐了許多年，但其實陰鬱的念頭一直在我心中徘徊不去，我總是在想，如果沒辦法改變身體，那我就結束自己的生命。當我幾乎要淹死在浴缸裡時，我才了解到，該是爲自己的幸福快樂負責的時候了。

2. 展望新氣象

我的朋友尼德最近有個傷心的任務，就是說服他父母離開已經住了四十年的家，搬進老人安養中心。他父親的健康惡化，而照顧的重擔也危及他母親的生命。但他父母卻不想搬走，比較想待在自己家裡，因爲附近有熟悉的鄰居。「我們在這裡住得很快活，幹麼搬走？」他們說道。

單單說服父母去看一下離他們家只有幾條街之遠的安養中心，尼德就花了超過一年

的功夫。他父母對於所謂的老傢伙之家的印象，就是「冷而陰沉」，是「老人等死的地方」。不過，他們看到的這個安養中心卻是乾淨、溫暖而充滿活力，很多以前的老鄰居也已經搬進來，過著充實的生活。那兒還有醫務室，裡頭的醫生、護士與治療師可以接手一些照顧尼德父親的工作，這樣能爲他母親減輕不少負擔。

尼德的父母在看到未來住處的樣子之後，就同意搬進去了。「沒想到這裡這麼好。」他們說。

如果從目前所在之處移到你應該去的地方，對你來說有點困難，不妨先讓自己看清楚這次的移動會把你帶往何處。意思就是，你可能必須去勘查某個地點、嘗試新的關係，或者祕密地跟隨你嚮往的職業中的某個人。一旦對新的處境熟悉一些之後，離開老地方就比較容易了。

3. 放開舊的

對許多人來說，這個階段很難。想像你正在攀岩，爬到一半，距離谷底有幾百呎高，而你剛來到一個小小的岩壁平臺。這個景象很嚇人，你知道只要一陣強風吹來，或是小小的風暴靠近，你就危險了；但在這個平臺上，你至少可以保有些許安全感。

問題是，無論要繼續往上爬或回頭向下走，你都必須放棄這個平臺給你的安全感，繼續前往下一個支撐點。不管這個安全感有多微弱，要放下它都很困難——攀岩或走上新的人生道路都是如此。你必須放開舊的，抓住新的。很多人在這個階段就僵住了，或者儘管展開行動，卻又因爲害怕而退縮。如果你發現你處於這種狀況，請想像自己正在爬梯子：你得放開現在抓著的這一階，伸出手，才能前進到下一階。放手、伸手，然後讓自己攀高，一次一階。

4. 穩定下來

這又是另一個很微妙的階段。人們或許已經放掉舊的，前進到新的階段，但除非獲得某種程度的安全感，否則他們偶爾還是會想回頭。這個階段的心理獨白是：「好啦，我已經到這裡了，然後呢？」

讓自己穩定下來的關鍵是要非常留意腦袋裡的想法。你必須摒除恐慌模式的念頭（「噢，糟了，我到底在幹麼？」），快轉到「哇，這眞是很棒的探險」。

小時候剛搬到美國的前幾個月，我在「接納」這個階段苦苦掙扎。許多個白天和夜晚，我在床上輾轉反側，爲新環境的種種苦惱不已。因爲害怕被排斥、被嘲笑，我總是躲

著其他同學；但是漸漸地，我開始覺得新家也有不錯的地方，例如我在這裡也有堂兄弟姊妹，我跟他們雖然不像跟澳洲的親戚那麼熟，但後來我發現，美國的堂兄弟姊妹也是大好人。而且這裡有海灘有山有沙漠，都在很近的地方。

就在我開始覺得美國加州也不賴的時候，爸媽決定搬回澳洲；等我完成大學學業之後，我便回到加州。現在這裡已經如同我的家了！

5. 繼續成長

這是成功轉變最棒的階段。你已經躍出一步，現在該在新環境裡成長了。事實上，如果想要繼續成長，就不可能沒有改變。儘管這個過程可能充滿壓力，甚至造成身心極大的痛苦，但隨之而來的成長會讓人覺得承受這些苦楚很值得。

我在企業經營上就體會到了這一點。幾年前，我必須重組公司，也就是說，我得資遣一些人。對我來說，解雇人是件很恐怖的事，我非常痛恨這麼做。我很愛照顧別人，非常不喜歡把壞消息告訴我關心的人。讓員工走路到現在都還是我的噩夢，因爲我把這些人視爲朋友。然而回過頭看，如果當時沒有做那樣的改變，我的公司無法成長。我不能說我很高興解雇了那些員工，我還是很想念他們，但是做了那樣的決定之後，我們的確有所收

穫。

成長的痛苦是一個徵兆，表示你正在伸展自己、前往全新的境界。你不必享受那樣的痛苦，但是你要知道，在更美好的日子來臨之前，你必須有所突破，而痛苦在所難免。

改變的可能性一直都在

在旅行中，我觀察過處於各個改變階段中的人，特別是前面提過的二〇〇八年印度之旅。那一次我到孟買演講，那是印度最大、也是全世界人口密度第二高的城市，貧富不均的狀況非常嚴重，《貧民百萬富翁》這部得到奧斯卡八項大獎的電影就以孟買爲背景，但這部了不起的電影其實只是浮光掠影地帶到孟買貧民窟的慘狀與性奴役狀況的氾濫。

據估計，孟買有超過五十萬人被迫出賣身體，這些人大部分是從尼泊爾、孟加拉和印度的小鄉村被綁架來的。許多女性是所謂的「神之女奴」，被祭司強迫賣淫；有些則是男變女的跨性人，也就是被閹割的男性。她們被塞進又小又髒的屋子裡，一個晚上至少要跟四個男人有性交易。愛滋病病毒在這個區域傳播得很快，並且已經造成數百萬人死亡。

我到過孟買一個人稱「囚籠之街」的紅燈區，去看看那裡的人所受的苦，並對性奴役

的受害者演講。邀請我去的人是德弗拉吉（K. K. Devaraj）牧師，他創辦了「孟買青少年的挑戰」，這個機構的工作是拯救遭到性奴役的人，並幫助她們找到更美好、更健康的生活。

德弗叔還主持了一家愛滋病孤兒院、供餐計畫、醫療中心、愛滋診所，以及拯救毒癮街童的活動。他之前看過我的影片，希望我能成爲孟買的「變革推動者」。他期盼我可以說服那些性工作者逃離被奴役之路，進入他的庇護中心。德弗叔說，每個被奴役的女人都是「一個珍貴的靈魂，一顆珍寶」。

「孟買青少年的挑戰」是股向善的力量，因此，就連孟買貧民區的妓院經營者也同意讓德弗叔和他的基督徒團隊進入他們的地盤演講——雖然那裡的人大部分信奉的是印度教。即使「孟買青少年的挑戰」經常試圖要那些性工作者接受基督信仰，還說服她們離開妓院，過好一點的生活，不過妓院經營者還是滿喜歡德弗拉吉牧師的團隊，因爲他們可以安定人心。

這個團隊一點一滴地努力改變這些受奴役女性的心。那裡的女孩大約十到十三歲就被綁架，她們大多是從鄉間小村落被騙來的，非常天眞。如果女孩沒上當，皮條客就會去說服她們的父母，說可以讓女孩賺進平均薪資五十倍的收入；更慘的是，有時皮條客乾脆跟父母買下女孩，這種事很常見。招募並把女孩送到妓院，只是一長串殘忍虐待的開始；一

旦女孩被關起來後，妓院經營者就取得控制權，並告訴她們：「不管妳願不願意，從現在起，妳得爲我們工作。」

我們訪問了幾位被「孟買青少年的挑戰」拯救出來的性奴隸，她們每個人的故事都讓人心痛。不幸的是，這樣的故事在那裡卻很常見。她們說，如果拒絕接客，就會遭到毒打、強暴，然後被裝進籠子，丟到黑暗污穢的地窖裡。在那樣的地方，她們甚至無法站立，還會挨餓、被虐待，再加上不斷被洗腦，直到屈服。然後，她們會被送到妓院。女孩們被告知妓院以七百美元買下她們，因此她們必須在妓院工作三年還債。一位性奴隸告訴我們，她被迫接客好幾百次，每接客一次，抵債兩美元。

大部分的女孩都認爲自己別無選擇。妓院老闆告訴那些女孩，老家的人已經不會接納她們了，因爲她們敗壞門風，是家族之恥。而因爲接客的關係，許多女孩得了性病或有了小孩，如此一來，她們更覺得自己沒有別的出路了。

這些女性即使過著如此可怕的生活，卻還是很怕做出任何改變。沒有了信心，她們失去希望，也失去了人性，根本不敢想像可以脫離奴役狀態和貧民區。心理學家常在受虐婦女身上看到這種抗拒逃離的行爲，這些女性活在恐懼和痛苦之中，卻拒絕離開施虐者，因爲她們更害怕離開後必須面對未知的狀況。她們失去了夢想更美好人生的能力，也因此無法看見這樣的日子。

你非常清楚這些性奴隸應該逃走，因為她們的生活實在太可怕了，但你是否也有辦法這麼清楚地看見自己的狀況呢？你是否知道自己會被環境困住，只是因為你沒有夢想、缺乏勇氣，或者你根本看不見自己有更好的選擇？

想要做出改變，你必須能夠想像生命的另一邊有些什麼；你要對上帝抱持信心與希望，也要相信自己有能力找到更美好的人生。

「孟買青少年的挑戰」知道要這些被奴役的女性看到出路很困難，因為她們被壓制、被孤立，並且飽受威脅，有些人還說自己不值得被愛，甚至不值得被好好對待。

我在孟買的妓院和貧民區親眼看見她們的苦難，也見證了德弗叔和他的宣教團隊在這些性奴隸及她們的孩子身上創造的奇蹟——這些居無定所、以街為家的孩子常被稱為「小麻雀」。

德弗叔的團隊帶著我一家一家去拜訪。在第一家妓院，我被介紹給一位老婦人，我們進去時，她慢慢從地上站起來。她是個老鴇，透過翻譯，她請我「為我旗下的妓女講道，鼓勵她們向善」。

這個老鴇介紹我一位看來像四十多歲的女性，她說自己十歲就從鄉下被綁架到這裡來，然後被迫賣淫到現在。

「我十三歲時還清債務，可以自由離開。」她透過翻譯說道，「我第一次走在街上，

然後就遭到毒打、強暴。我還是有回老家，但家人都不想跟我扯上任何關係。於是我又回到這裡，繼續當妓女。然後我有了兩個小孩，其中一個死了。兩天前，我發現自己得了愛滋病，所以妓院老闆把我開除了。我有個孩子，但現在我無處可去。」

在你我看來，她是有選擇的，但是在她那限制甚多的環境中，似乎沒有選擇的餘地。所以請了解，有時你或許看不見出路，但改變的可能性其實一直都在；而當你找不到替代的路時，就去求助，向擁有較寬廣視野的人尋求指引。無論是去找朋友、家人、專業諮商師或人民公僕都好，就是不要一直想著「我已無處可逃」、被這種念頭困住。總是會有出路的。

其實這位女性才二十歲。我和她一起禱告，並告訴她，她可以離開妓院，住進「孟買青少年的挑戰」所提供的住所，還可以在那裡的診所獲得治療。一旦我們打開她的雙眼，讓她看見有一條路通往外面那個更溫暖而充滿關懷的世界，她不只願意改變，也找到了信心。

「聽了你的話之後，我知道上帝選擇不醫治我的愛滋病，是因為我可以帶其他女性到基督面前。」她說，「我一無所有，但我知道上帝與我同在。」

她眼中的平安與盼望讓我驚訝，在信心之中，她是如此美麗。她說她知道上帝並未忘記她，也知道即使面臨死亡，上帝對她依然有個目的。她已經改變、已經把她的苦難轉化

爲向善的力量。在這麼多的貧窮、絕望與殘酷之中，她是個光芒四射的例子，展現了上帝之愛與人類心靈的力量。

德弗叔和他的宣教團隊已經想出幾種做法來說服孟買的性工作者脫離危險的處境，例如照顧她們的孩子，還提供學校教育，讓孩子認識耶穌，以及祂對他們的愛。然後，孩子們再去告訴媽媽，讓她們知道耶穌也愛她們，她們可以採取行動，追求更美好的生活。

我希望你可以擁抱讓生命向上提升的改變，然後，也成爲提升他人生命的改變力量。

第九章

信任他人，組成夢幻團隊

建立人際關係就像建立存款帳户，如果你什麼也沒存進去，怎麼能期望從裡頭提領出東西來。

十一歲時，有一次爸媽帶我到澳洲的黃金海岸。他們沿著海岸走，離開一會兒，我則是在靠近水邊的沙堆裡涼快一下，一面看著海浪，一面享受微風。爲了不被晒傷，我用一件特大號的T恤蓋住自己。

一位年輕女性走了過來，邊靠近我邊笑著說：「哇，眞厲害。」

「妳是指？」我問道。我曉得她應該不是在說我碩大的二頭肌。

「你把兩條腿埋起來花了多久時間？」她問。

我明白了，原來她以爲我把雙腿藏在沙裡頭了。我決定惡作劇一下，繼續演下去。

「哦，我可是挖了很久耶。」我說。

她大笑，然後就走開了，但我知道她一定忍不住要再看一眼，所以我等著看好戲。果然，當她轉過頭臨別一瞥時，我馬上彈起來跳向水裡。

她什麼也沒說，不過當她急匆匆地沿著海灘跑走時，踉蹌了一下。

年紀還小時，這種時刻總會惹毛我，但慢慢地，我對他人有了更多耐心與諒解。就像那位女士一樣，我學到了，有時候人們有的東西比你一開始以爲的多，有時則比較少。

有識人之明、與人相處、跟人交往、體會他人的感受、知道誰可以信賴，以及如何讓自己值得信賴，這些對成功和快樂都很重要。缺乏與他人在互相了解及信任的基礎上建立關係的能力，卻能夠成功，這樣的人實在很少。我們需要的不只是親密愛人，也需要良師

益友、人生典範，以及認同並幫助我們完成夢想的支持者。

要建立由最爲你著想的支持者所組成的夢幻團隊，你必須先挺他們，來證明你是值得信賴的。你怎麼對待你的夥伴，你的夥伴就會怎麼待你。如果你支持他們、鼓勵他們，給他們最眞誠的回饋，那你可以期待這些人也會如此對你；假如他們做不到，你就該去尋找願意加入你團隊的人了。

人天生喜歡與他人交往，但如果有些關係不符你的期待，那可能是你對於如何與人互動，以及你在這些關係中投入和拿走些什麼，想得不夠。你最可能犯的錯誤之一是在交朋友時，只談論你自己——談你的恐懼、你的挫敗和讓你開心的事。要贏得別人的友誼，你必須更認識他們，尋找共同的興趣，以建立對彼此都有幫助的連結。

建立人際關係就像建立存款帳戶，如果你什麼也沒存進去，怎麼能期望從裡頭提領出東西來。我們必須藉由評估並檢視怎樣做才有效、怎樣做沒有用，來時時調整自己經營人際關係的技巧。

如何與他人相處？

強烈意識到生命的目的，擁有崇高的盼望與持久的信心，自重自愛，抱持正面態度，而且坦然無懼，懂得隨機應變，有掌控變化的能力，這些條件對你很有幫助，但終究沒人能單打獨鬥。我當然很重視我照顧自己的能力，盡可能變得獨立，不過我就跟所有人一樣，在很大程度上還是必須仰賴身旁的人。

人們常問我：「生活上經常要依靠別人，很辛苦吧？」我的回答是：「你說呢？」無論你有沒有察覺到，其實你倚賴周遭人的程度跟我是一樣的。沒有別人的幫助，有些事我就做不成，但我不知道在這個地球上，有誰是不必仰賴他人的智慧、好意和幫助就可以成功的？

我們都需要別人的支持、都需要跟志趣相投的人交往，所以一定要建立信任，也讓自己值得信賴。我們要知道，大部分人都是本能地基於自身利益而行動，但如果你能表現出對他人的關心，並幫助他們成功，大多數人也會如此對待你。

我最愛眼神接觸

小時候，媽媽常帶我去逛街，或者去其他公共場所。當她去忙自己的事情時，我就坐在輪椅上看著人來人往，觀察每個人的臉，一待就是幾小時。當人們經過我身旁時，我會研究他們，試著猜測他們靠什麼爲生、個性怎麼樣。當然啦，我不知道自己的直覺對不對，但我的確變得很認眞在研究肢體語言、面部表情和讀人術等等。

當時那只是我下意識的行爲，但是回過頭看，我才發現那時自己正出於本能地發展重要技巧。因爲我沒有手可以保護自己，也沒有腿可以逃跑，所以快速評估某個人値不値得信任這件事對我非常重要。這不是說我常常擔心自己受到攻擊，但我的確比大多數人容易受傷害，所以變得對人的敏銳度比較高一些。

我對周遭人的心情、情緒和聲音很敏感。聽起來可能有點奇怪，但我的「天線」接收能力精細到如果有人把手放在我輪椅的扶手上，就好像跟我握手一樣；我會奇妙地感受到跟對方有實質上的連結，彷彿我們眞的握住了彼此的手。每當家人或朋友把手放上我的輪椅，我就會感受到這份溫暖與接納。

我缺少四肢這件事影響到我演講時跟人互動的方式。我沒有多數演講者主要的煩惱之

一——手不知道要放哪裡。我把重點擺在透過臉部表情溝通，尤其是眼睛，而不是雙手。我無法藉由手勢強調重點或傳達情緒，而是利用眼睛寬度和臉部表情的變化來傳達情感，並吸引聽衆的注意。

妹妹蜜雪兒最近逗我說：「力克，你眞的很喜歡眼神接觸耶。當你跟某個人說話時，你會深深地望進他的眼睛裡，就是這樣。」

知我者蜜雪兒也。我之所以喜歡眼神接觸、喜歡深深地看進人們的眼裡，是因爲眼睛是靈魂之窗。我欣賞人們的美，而我常常在人的雙眼裡發現它。我們都可能看見別人不好或不完美之處，但我選擇去看他們內在的黃金。

「這也是你讓對話保持眞實且誠懇的方式，」我的小妹說，「從你跟我朋友的談話中就可以看得出來。你直接深入對方的內在，捕捉他們的注意力，因此他們會吸收你說的每個字。」

我學會透過看進對方眼裡，以及藉由問問題或發表意見，找出彼此的共同點，來快速進入狀況。在背痛限制我的擁抱能力之前，我最喜歡的破冰方式是跟人家說：「來，給我個抱抱吧！」

我希望藉由邀請人們靠近我、接觸我，讓他們跟我相處起來更自在。去接觸人、與之連結、找到共通點，這些是每個人都該掌握的人際關係技巧，因爲這些技巧決定了我們跟

周遭人的互動可以有多好。

成功與幸福所需的人際能力

「人際關係能力」這個詞被廣泛使用，但其實定義不太明確。我們都以爲自己的社交技巧不錯，但其實你我的人際能力都還有進步的空間。

獲得成功與幸福所需要的技巧，我們不是理所當然就會的。你的生命可以不受限，但你不能過一個無法與他人建立信任關係的人生。這就是爲什麼你應該自我監測、評估，並且努力鍛鍊、琢磨你跟周遭人打交道的方式。心理學家指出，要建立信任連結及互相支持的關係，必須仰賴幾種基本的人際關係能力，包括：

- 覺察他人的情緒和心情
- 仔細聆聽他人說話的內容及方式
- 評估、理解他人的非言語訊號，並有所回應
- 主導社交聚會

- 快速與他人建立連結
- 在任何情境下都能發揮魅力
- 練習得體的態度與自我控制
- 以行動展現對他人的關懷

現在，就讓我們仔細地逐一檢視這些基本的人際能力。

讀人

每個人多少都具備閱讀肢體語言、聲調、臉部表情及眼神的技能。我們總是不由自主地抓到這些訊號，大部分人甚至可以看出某人正在假裝生氣，但實際上並沒有，或者假裝疼痛，爲的是引起注意。心理學家說，讀人的能力會著年紀增長而進步，而且女人往往比男人厲害，尤其是有小孩的女性——這並不讓我感到意外。我媽媽讀我跟讀書一樣，好像常常事先就知道我不舒服、受傷害、受挫折，或是覺得難過。

聆聽以了解他人

許多父母常說：「上帝只給了你一張嘴，但給了你兩隻耳朵，所以你聽別人講的話，應該兩倍於你自己所說的話。」但我們常常沒有仔細聆聽，以便了解別人在說些什麼，反而稍微聽一下就忙著回應。想要眞正與別人產生連結，就必須考慮到言語背後的情緒，而不是只聽到言語本身。我不是兩性關係專家，不過倒是看過不少男性朋友爲此所苦。女人的直覺力較強，所以常常被實事求是的男人氣到，因爲男人比較容易接收到話語，而不是情緒。

掌握訊息，適當反應

仔細聆聽與觀察很重要，但更重要的是準確評估所聽到和觀察到的內容，然後採取適當行動。擅長此道的人通常擁有較好的人際關係，在工作上也有比較高的成就。而這也可能是一種生存技能。《紐約時報》報導過一個故事：兩名駐伊拉克的美軍有次在巡邏時看見一輛停著的車子，裡頭有兩個年輕人，雖然外面氣溫高達攝氏約四十九度，但車窗是緊閉的。其中一個士兵問另一個——是名陸軍中士——他可不可以拿點水給那兩個男孩喝，

順便靠近那輛車子。

那名中士看了一下周遭環境，偵測到危險，於是下令巡邏兵趕快退後。就在士兵轉過身時，有個炸彈在車裡爆炸了，兩個年輕人當場被炸死，而那位本來想去幫忙他們的士兵則被碎片擊中，所幸生命無礙。

後來那名中士回憶說，當他看見士兵靠近那輛車子時，「我的身體起了一陣涼意——你知道的，就是那種『危險』的感覺。」其他細微的線索則是更早就觸動他的天線——當天早上沒有人對他們開槍，這頗不尋常；再說，那天街上比平常安靜了許多。

針對退伍軍人的研究顯示，他們十分依賴感覺、肢體語言和反常現象（「就是有點怪怪的」）來迅速解讀周遭環境。這種能力不只對人際關係很重要，對生存也是；不只對退伍軍人很重要，對我們也是。

搞定一屋子人

知道什麼是合宜的舉止，並融入周圍情境——無論是在教會、私人鄉村俱樂部、公司野餐，或者只是一頓簡單的晚餐——是另一個重要的社交技能。你必須尊重所處的環境。每次到國外訪問，我通常會請主辦單位或翻譯人員幫助我了解當地的習慣和傳統，以免犯

下讓聽衆對我產生敵意的錯誤。

有些事在自己家裡做沒關係，但在某些國家就不可以了。例如吃飯時打嗝在大多數地方都被認爲是很沒禮貌的行爲，不過在某些地方，打個響亮的飽嗝可是對廚師的讚美。更嚴格地來說，有些話題你在某些情境下要避免提及，例如過去的對立衝突和政治議題，或者在某些情況下，連宗教話題也會惹上麻煩。

然而，有些與人互動之道是放諸四海皆準的。長大之後我了解到，與他人打交道時，聆聽是最有用的技巧，特別是當你要「搞定一屋子人」時。

與他人建立連結的能力

我們不只透過言語，也會藉由表情和肢體語言來與人建立連結，這包括與其他人互動時，我們會把自己擺在哪個位置。通常是直到有人闖進我們的個人空間，才會讓我們注意到這件事。例如，「喜歡挨得很近說話的人」或許試著跟人產生連結，卻往往只會讓人想逃。講話時雙方到底要保持什麼樣的距離很難評斷，因爲我們會歡迎某些人進入我們的個人空間，某些人則不。有一次在一場派對上，某個朋友向我投來十分恐慌的眼神，因爲有四個人爭著要引起他的注意，把他擠到角落去了。他們的氣勢強過他，讓我的朋友看起來

就像一隻被獵犬逼到絕境的狐狸。

魅力大進擊

要讓人注意到我不是個問題，不過讓注意力持續就是另一回事了。人們看到我的身體時會很好奇，但要他們盯著看就不太自在了，所以我只有幾秒鐘可以展現魅力，以扭轉局勢。特別是面對小孩或青少年時，我會開個玩笑說「請借我一隻手」（❶），或是「有個東西花了我一隻胳膊和一條腿耶」（❷）。我讓他們知道，其實我有聽見他們的議論，而我可以跟他們一起一笑置之。我想魅力的祕訣就在於：讓你所遇到的每個人都覺得跟你說話時，你把全部的注意力都放在他們身上。

得體的態度與自我控制

我們總以爲自己對別人得體又細心，但我知道，有時我還是有不足之處。我弟弟亞倫很愛提醒我，小時候我總是對他頤指氣使，他對我可是忍耐多多。就算爸媽都在家，他還是像我的保母一樣，因爲我們倆老是在一起。亞倫會告訴你，我這個人是個指揮狂。例

如，有一天早上他的朋友菲爾來我們家，他在早餐時間走進我們的廚房，我就問亞倫和菲爾要不要來點培根和蛋。

「好啊。謝啦，力克。」菲爾說。

然後我就開始準備給他培根和蛋了，方法是用叫的：「亞倫，你可不可以幫我拿幾顆蛋？噢，還有平底鍋。好，現在把鍋子放到爐子上，把蛋打在鍋子裡，熟了我會接手。」

當亞倫年紀漸大、長得愈來愈高壯之後，終於找到辦法對付我這種喜歡指使別人的個性。每當他認爲我要求太多時，就會威脅說要把我丟進櫃子的抽屜裡，然後關起來，把我留在那裡。所以呢，我必須好好養成得體的社交技巧，否則就會被鎖起來，永久歸檔了。

說到做到

我們常聽說有人是「說一套，做一套」。你或許善於傾聽，有高度的同理心，熱誠且有魅力，做人又很得體，但如果有人需要時，你卻不願挺身而出、伸出援手，那麼你其他的人際能力都沒有意義了。只會說「我感同身受」是不夠的，因爲行動勝於空談。

在職場上，這表示你不只要將自己份內的工作做好，努力追求成功，也要幫助別人做好他們的工作，並在他們努力邁向成功時提供支援。

與人和諧互動的能力

爲了掌握這些人際關係能力，你必須把自己的利益、顧慮和意圖擱在一旁，融入周遭的人之中。這不是說你要成爲大家注目的焦點，或是屋子裡最好笑的那個人，而是指當你跟人打交道時，要站在對方的立場，讓他們覺得跟你在一起很自在，因而願意邀請你進入他們的生命中。

我們跟他人的關係，有短暫接觸的（店員、服務生、郵差、飛機上坐在你隔壁的人），有那種常常碰面的（鄰居、同事、客戶），另外就是那些跟我們的生活有很大關連的（最要好的朋友、伴侶和家人）。每個層級的關係需要的人際能力不盡相同。

學著向人求助

還有一種人際關係能力常常被蔑視或忽略，我卻相當熟悉，那就是：當你需要幫助時，願意以謙卑的心向他人求助。耶穌——上帝之子——在地上時很少是獨行俠，通常會

有幾個門徒陪著祂。所以，你不要認爲自己必須單打獨鬥。開口求助並非示弱，而是力量的顯現。《聖經》上說：「你們祈求，就給你們；尋找，就尋見；叩門，就給你們開門。因爲凡祈求的，就得著；尋找的，就尋見；叩門的，就給他開門。」❸

因爲我的旅行計畫實在排得太緊湊，所以幾年前，我決定重新聘請看護幫我的忙。其實很長一段時間我都避免這麼做，因爲年紀比較輕時，我總想證明自己可以不必倚賴別人過日子，所以獨立對我來說非常重要。爲了心靈的平靜和自尊，我得確定一件事：如果有必要，我可以靠自己過活。

但是展開演講生涯之後，世界各地的邀約紛至沓來，而在許多不同的地方對著那麼多人演講，是非常需要全神貫注的，如果要自己照顧自己，會耗費我太多精力，特別是在旅途中。因此，我又重新聘用看護，但我仍然期待將來有一天我會有妻兒相伴，並再次回到獨立的生活。

當你有了看護，就不能沒有人際關係能力。就算你提供不錯的待遇，你還是不能期待一個不喜歡你的人會餵你吃飯、跟著你到處跑、替你刮鬍子、幫你穿衣服，有時還得抱著你。幸好，我跟看護的關係一直不錯——雖然他們有時候會面臨考驗啦。

我選擇演講這種需要大量旅行的工作，又堅定地想要證明自己的獨立性，所以曾經驕傲到不願開口求助，即使求助比較合理。你不應該犯同樣的錯，要知道自己的極限，在有

需要時向外求助。不過請記住，除非你表現出對他們的關懷與體貼，否則光是向朋友或同事要求些什麼，是很沒有禮貌的，人家可沒欠你。

過去幾年，我的看護有時候是由朋友、家人和志工擔任，不過我大部分是找支薪的助手，因爲我的行程十分緊湊，看護的工作量很大。

我目前的看護之一——布萊恩——在我二〇〇八年夏天到歐洲巡迴演講時，就面臨了終極考驗。有一天晚上，我們抵達了羅馬尼亞的提米索拉，在這之前，我們已經不眠不休地旅行了一個禮拜，所以我眞的累癱了，而這一晚是這個漫長行程中我第一次可以好好休息的機會。但因爲我向來睡得不好，所以布萊恩給了我一顆褪黑激素，它可以幫助人體處理時差問題。

起先，我跟他說我最好不要服用，因爲我體重很輕，有時對營養補充品會產生奇怪的反應，但布萊恩說這很安全。不過，爲了安全起見，我只吃了半顆——幸好我沒有整顆吞下去，因爲吃了之後，我馬上進入深沉的睡眠。

在某些巡迴演講中，我會變得過度疲勞，而且儘管在床上坐起來對我而言非常費力，我還是會在睡夢中坐起，然後開始演講，彷彿眼前眞的有聽衆。而這天晚上，我把隔壁房間的布萊恩吵醒了，因爲我居然在講道，而且是用塞爾維亞語！

在我的「夢中布道」把整個羅馬尼亞吵醒之前，布萊恩叫醒了我。我們兩個都發現自

己汗如雨下，彷彿在這夏夜的熱氣中被煮了一頓，因爲我們一睡著，空調就停了。我們很自然地打開窗，讓一些新鮮空氣流進來，然後累到骨子裡的兩人又回去睡了。

大概一個小時之後，我們又醒了，這次是被巨大的羅馬尼亞蚊子（至少我們希望那是蚊子）給生吞了。那個時候，我眞的已經累死、熱死、全身癢死了——而且，我還沒有道具可以抓癢咧。這簡直是酷刑！

布萊恩建議我沖個澡止癢，然後他在我被蚊子叮的腫包上噴了一些止癢的急救藥。我又回到床上去睡，但是十分鐘後，我又再度大叫布萊恩，因爲我可憐的身體像著了火一樣！我對剛剛那個止癢噴劑過敏啦！

我的看護再次匆匆忙忙地把我拖進浴室沖洗，而在這個過程中，他滑倒了，頭撞到馬桶，差點沒撞昏。筋疲力竭的我們只想睡覺，但這恐怖的一夜還沒結束。因爲空調壞了，房裡實在太熱，到這個時候我已經快瘋了，所以跟布萊恩借了枕頭。

「走廊上的空調沒壞，我要出去那裡睡！」我跟已經沒轍的看護說。

布萊恩沒力氣跟我爭辯。他倒在床上，我則在房間外面的走廊直接躺下，房門打開，這樣當我需要幫忙時，布萊恩就可以聽到。我們就這樣小睡了一、兩個鐘頭吧，然後有個陌生人從我上方跨過去，直接走進房裡，用破英文大聲斥責可憐的布萊恩。

他在那裡氣沖沖地罵了幾分鐘後，我們才搞清楚這位路人甲以爲布萊恩把我丟到走廊

上去睡，氣得不得了。我們花了好長一段時間說服這位想要成爲「好撒馬利亞人」（❹）的男士，讓他知道我是自願去睡走廊的啦。

這位陌生人離開後，我爬回我的床，布萊恩回去他的。但是當我們終於慢慢進入夢鄉時，布萊恩的手機響了。他接起電話，一陣狂罵灌進他耳朵裡，原來是我們這次巡迴演講的協調人。顯然剛剛那位好心的路人甲並沒有被我們說服，跑去跟飯店的安全人員說我整晚都被丟在走廊上，飯店就對我們的協調人發火，然後那位協調人就氣得打電話來威脅可憐的布萊恩，說要對他動用私刑！

現在你知道爲什麼我通常得請三個看護輪流照顧我了吧。布萊恩和我現在可以對我們的羅馬尼亞夢魘一笑置之，但那時我們可是經過幾個舒爽涼快、沒有蚊子打擾的好眠之夜後，才回過神來。

年輕的時候，我必須學習的功課之一就是向人求助是沒有關係的。無論你的身體零件是不是配備齊全，有時候，你就是沒辦法一個人搞定某些事。沒錯，謙虛是一項人際關係能力，也是上帝所賜的禮物。

向人求助時要謙卑，無論你求助的對象是看護、良師益友、人生典範或家人。假如你向外求援時夠謙卑，大多數人都會願意抽空幫你；但如果你表現得好像自己無所不知、根本不需要別人，那就眞的不太可能得到援助了。

沒褲子可穿的教訓

小時候，我接受的教導是一切榮耀都歸與上帝；成年之後，我了解到不論我做了些什麼，都不是由我完成，而是透過我做成的。上帝似乎認為我偶爾需要上上「謙遜」的課，這樣我才不會失去與人互動、連結的能力。這些人生功課有時很困難，有時也挺好笑的。

二〇〇二年我還住在澳洲，我表弟納森陪我去美國一個教會營會演講。我們在活動的前一晚抵達，而因為長途飛行的時差，我們睡過頭了。

按照表訂計畫，我應該要早起去教一堂《聖經》課，但沒有人忍心叫醒我。結果我從昏沉狀態中醒過來時，距離那堂課開始的時間只剩下十五分鐘。因為住得不遠，所以我想應該還來得及，但是當我們衝到營會時，我突然想上廁所。相信我，這種事通常我自己處理得來，個中訣竅我不便透露，不過把拉鏈換成魔鬼氈幫助很大就是了。那天因為很急，納森就說要幫我。他把我抱進公共廁所，然後讓我辦事。

解決之後，納森就進來幫我處理後續。正當我們要完成整個程序時，納森把我的短褲掉到馬桶裡了。當我的尊嚴在慢動作的漩渦裡消失無蹤時，我們嚇得張大嘴，當場呆掉。

我站在那裡，沒有褲子可穿，而且《聖經》課遲到了。我毛骨悚然地瞪著表弟，他則回敬我驚慌失措。接著，我們忍不住爆笑起來，甚至沒辦法把褲子拉出來，因爲我們實在笑得太瘋狂了，愈笑就愈覺得好笑，一發不可收拾。納森的笑聲超級有感染力，當他一開始笑，我就忍不住了。我相信當天在廁所外面的人一定很納悶，三號廁所到底發生了什麼好笑的事，不然裡頭的人怎麼那麼開心？

當我發現自己處在一個荒謬的情境時，我的表兄弟堂兄弟，以及弟弟、妹妹幫助我學會一笑置之，這就是一個很典型的例子。他們也教我要倚靠那些願意幫忙的人，一旦覺得受不了了，就去尋求協助。我鼓勵你也這麼做。

爲我生命帶來重大影響的三種人

你可能不像我一樣，需要一個訓練有素的人一個禮拜七天、一天二十四小時等著幫你，但我們都需要某種類型的看護，例如可以分享點子的人、可以提供最誠實建言的人、可以鼓勵我們的人，或是良師益友和人生典範。

承認自己並非無所不知或需要幫忙，是要謙遜和勇氣的。我之前提過，當你意識到

自己的人生目的，並投入追求夢想時，總會出現一些唱衰你的人。幸好，其他人也會出現——有時是在你最沒預料到的時候——來替你打氣，或者為你指點迷津。你應該為他們的出現做好準備，因為跟這些人連結，會改變你的生命。

有三種人曾經為我的生命帶來重大影響：良師益友、人生典範與人生旅伴。

良師益友是已經到達你嚮往境界的人，但他們也是分享你的夢想的支持者與鼓勵者，真心希望你能成功。通常父母是你天生的良師益友，而如果你運氣好，會有其他人願意在你生命中擔任這樣的角色。我最早的良師益友之一是我的山姆舅舅，他擁有創業家的心思、發明家的創造力，以及探險家的視野。山姆舅舅對新經驗總是抱持開放態度，當我年紀還小的時候，他就鼓勵我展翅飛翔，還告訴我，人生唯一真正的障礙，是我們自己為自己製造出來的。他的指引與鼓勵，給了我擴展視野的勇氣。

我知道許多人一輩子都背負著悔恨的重擔，但山姆舅舅從不回頭看。即使犯了錯，他依然帶著壓抑不住、如孩童般熱愛生命的精神，繼續前進，尋求下一次機會。

山姆舅舅鼓勵我無論如何都要向前看，而且他總是對我有信心，即使有時我並不那麼看好自己。我十三歲時，他跟我說：「力克，有一天你會跟總統、國王和女王握手哦。」那時他甚至相信上帝對我有個大計畫。山姆舅舅真是一位超棒的良師益友！

我鼓勵你去尋找你的良師益友。不過你要知道，真正的良師益友並不只是啦啦隊，一

旦認爲你偏離軌道，他們也會直言不諱。良師益友的批評與讚美，你都應該聽，因爲他們是眞心爲你著想。

我也非常景仰我表哥唐肯。小時候，我總是很怕麻煩人家帶我去廁所，他就跟我說了一句話，要我銘記在心：「當你需要上廁所，儘管去跟別人說。」不只是他和其他胡哲家族的堂兄弟妹妹一直愛著我、支持我，唐肯和他媽媽更是在我展開演講生涯初期，幫助我克服恐懼。

人生典範也已經到達你嚮往的境界，但通常不是像良師益友一樣離你那麼近。你往往是從遠處看著他們，研究他們的動向、閱讀他們的著作，並跟著走上他們的職業生涯，以他們爲榜樣。這些人通常是你那個圈子裡的名人，因爲功成名就而備受尊敬。我一直很敬重的人生典範之一是葛理翰牧師，他活出了〈馬可福音〉第十六章第十五節經文的內容：「你們往普天下去，傳福音給萬民。」這句話也激勵了我。

對我來說，還有些人是介於良師益友和人生典範之間，例如維克與愛爾希夫婦。我幾乎每年都會去拜訪他們一次，而他們總是鼓勵我要成爲一個更好的基督徒、更好的人。住在澳洲的維克與愛爾希在南太平洋各個偏遠的角落建立了超過六十五個教會和布道團，他們是我以宣教士身分發揮影響力的榜樣。這對夫婦安靜地工作，沒有太多宣傳，也從來不自吹自擂，但他們眞的影響了許許多多的靈魂。

要認出**人生旅伴**，對我來說有點難度，因爲我的人生走的實在不是傳統的路。所謂的人生旅伴通常是指同儕、同事，以及其他跟你有著類似目標、走在同方向路上的人；他們甚至可能是你的對手，不過是友善的對手。你們藉由學習抱持豐盛而不是匱乏的心態彼此鼓勵、互相扶持。

如果你相信豐盛，就會相信上帝的祝福永遠足夠給每一個人——足夠的圓滿、足夠的機會、足夠的快樂和足夠的愛。我希望你可以採用這個觀點，因爲這會讓你向他人敞開。如果你總是認爲這個世界的資源稀少、機會有限，那麼你可能會把人生旅伴視爲威脅，認爲他們會奪走一切，什麼也不留給你。競爭可以是非常健康的，因爲它給了你動力，而且你總是會發現，你要什麼，就會有人也要什麼；但如果你抱持著豐盛的心態，就會相信人人有賞，所以競爭比較像是盡力做到最好，並且鼓勵別人也同樣這麼做。

豐盛的心態讓你跟人生旅伴以一種戰友的感覺互相支持、並肩同行。我從跟瓊妮·艾瑞克森·塔達的友誼中認識到這一點，我們的生命旅程走的路很相似。前面提過，早在認識她之前，瓊妮就是我的人生典範；到了美國，她成爲我的良師益友，幫助我安頓生活；如今，她成了我的人生旅伴，常常給我明智的建言，並帶著同理心聽我傾訴。

另一個在各方面幫助我的人是賈姬，我十多歲時，她住在我家附近。儘管她已婚、有小孩，但是當我要傾吐心事時——無論好事、壞事——賈姬總是找得出時間聆聽。她的年

紀沒有大我很多，所以比較像是一個有智慧的好友，而不是嚴格的長輩。

二〇〇二年，我的大學學業和個人生活都很不順，常常恍神，也很迷惘。我跟交往多年的女友分手，整個人很情緒化，所以去找賈姬，想請她幫我弄清楚到底發生了什麼事。我對她掏心掏肺，而她只是雙手緊握，靜靜地坐著聽我講。突然間，我發現自己正把情緒重擔全部卸下，轉到她身上，她卻沒有反應。最後，我停下來說：「我該怎麼辦？告訴我！」

賈姬微笑著，雙眼發亮，簡單地回答一句：「讚美上帝。」

困惑又充滿挫折感的我說：「讚美上帝什麼？」

「就是讚美上帝，力克。」

我瞪著地板，心想：「她就只能說這個？這個女人眞了不起。」

接著我突然想到，賈姬是在告訴我：要信任上帝，祂從未忘記我；不要相信人的智慧，而是要相信上帝的力量；要順服神，而且就算心裡覺得上帝沒有什麼好謝的，還是要感謝祂；要爲了來自這份痛苦的祝福，而預先感謝上帝。賈姬有堅定的信仰，也常常在我覺得困惑或受傷時，提醒我順服上帝，因爲祂對我們每個人都有計畫。

負責點醒你的人生嚮導

「人生嚮導」式的關係常常讓人不太好過。「嚮導」會點醒你，甚至斥責你，但他們非常關心你，關心到讓你眞正去思考自己在做些什麼、要往哪裡去、爲什麼你會在這裡、下一步又是什麼。你會希望生命中有這樣的人。

當我想要成爲一名演說家、想要去世界各地鼓勵人們擁有信仰時，我跟一些親近的朋友和家人談到了這個決定。有些人很擔心，包括我的父母。他們擔心我的健康能否負荷，還有，這個任務眞的是上帝要我做的嗎？

我仔細聽他們說些什麼，因爲我知道他們希望我成功。當你的「夢幻團隊」針對你的計畫提供意見時，你也該好好聽一聽，並仔細思考他們的建議，特別是如果你希望他們繼續幫助你成功的話。你不一定要接受這些意見，但要持敬重的態度，因爲這些人就是關心你，才會說出你可能覺得不中聽的話。

我尊重爸媽的憂慮，但我確實感受到上帝要我成爲一個傳揚福音的人。於是我的使命就是順從爸媽、保持耐心，並且祈禱有一天他們也能跟我有同樣的感覺。

你遇到的每個人不保證都想幫你，有些人甚至會洩你的氣，雖然他們的憂慮或許有

最好的出發點和理由。我爸媽的每個恐懼都很合理，但我祈禱他們的信心能夠勝過種種掛慮。

事後來看，你決定走自己的路可能是錯的，也可能是對的，但是到頭來，「是對的」並沒有那麼重要。父母和已成年的兒女常常必須留同存異，相互諒解彼此對歧見的處理方式，然後繼續往前走。而你和「夢幻團隊」其他成員之間也應該如此。

我很感謝爸媽和我總能尊重彼此的主張和決定。因著上帝的恩典，我們的關係經得起考驗，而且因爲我們之間有著深刻的愛和互重，所以變得比以往更親近。如果爸媽和我不曾敞開心胸暢談彼此的感受，或許結果不會像現在這樣美好。

你不應該把人際關係視爲理所當然，尤其是跟家人的關係更需要珍惜。美好的關係帶來的回報，將持續一生之久。

現在，請花一些時間評估你的人際關係能力、人際關係品質，以及你投入了些什麼到你的關係之中。你值得信賴嗎？你信任身邊的人嗎？你是否能吸引人來幫助你成功？你尊敬這些人嗎？在各種人際關係中，你投入的和你拿走的一樣多嗎？

每當我享受與家人的相聚時，我了解到自己就是爲這樣的時刻而活。我希望可以說服家人相信聖地牙哥的海灘比澳洲好，這樣他們就會願意來美國，我就能把他們放在身邊

了。把握你所愛的人，抓得愈近愈好、愈久愈好。

人際關係的品質大大影響到你生命的品質，所以要珍惜身邊的人，不要把他們視爲理所當然。《聖經》上說：「兩個人總比一個人好，因爲兩人勞碌同得美好的果效。若是跌倒，這人可以扶起他的同伴；若是孤身跌倒，沒有別人扶起他來，這人就有禍了。」（❺）

注❶：原文是lend me a hand，直譯就是「借我一隻手」，意思是「助我一臂之力」。

注❷：原文是cost me an arm and a leg，直譯就是「花了我一隻胳膊和一條腿」。如果某樣東西要付出這麼大的代價才能得到，意思就是「貴得要命」「花了不少錢」。力克在這裡又拿自己沒有四肢這件事開玩笑。

注❸：《聖經》馬太福音第七章第七至八節。

注❹：Good Samaritan，在《聖經》裡，耶穌以撒馬利亞人作了個比喻，教導人要關心鄰舍、幫助有需要的人。

注❺：《聖經》傳道書第四章第九至十節。

第十章

如果機會沒來，就自己創造機會

如果機會沒來找你，你就必須去一個它們能找到你，或者你能找到它們的地方。

約書亞和芮貝卡．維格夫婦住在洛杉磯，是得獎的電影工作者，致力於製作出兼具激勵性和娛樂性的電影。我沒見過維格夫婦，不過，他們看過我的一部影片後有了靈感，想要以我爲主角，撰寫一個電影劇本。在寫劇本時，維格夫婦嘗試透過不同的管道連絡我，不過當時我正在四處演講，所以他們找不到我。某個禮拜天，他們突然在教會遇到老友凱爾。

「你現在在幹麼？」他們問凱爾。

「我在當看護，照顧一個叫力克．胡哲的人。」他說。

毫不意外地，約書亞和芮貝卡大吃了一驚。

眞的很神奇吧？兩位有理想的製片人爲他們從沒見過的某人寫了個劇本，到處找他，想要跟他一起拍部片子——這種事多久才會發生一次？眞是太奇妙了，對吧？美夢成眞啊！

你是否曾經錯過一個很棒的機會，只因爲你的行動沒有跟上？你是否曾經絕望地看著某人通過一個大門，而你卻沒看到那個大門打開？從這些經驗中學點教訓，振作起來吧！克萊斯勒汽車的創辦人華特．克萊斯勒（Walter Chrysler）說過，那麼多人的人生未能如願，是因爲當機會來敲門時，他們不在，他們去後院找四葉幸運草了。現在我看到許多人在買樂透彩，卻沒有投資自己的未來——投資未來包括努力工作、致力於自己的目標，然

後仔細觀察，在最好的時機一躍而上。

如果你覺得自己從未有機會開槍，很可能是因爲你沒有鎖定目標、裝上子彈，然後準備射擊。你要爲自己的成功負責，負責的方式就是做好最萬全的準備；一旦萬事俱備，東風就會吹來。如果你老是盛氣凌人或自怨自艾，那就別期待會有人來邀你跳舞。相信自己（我是不是已經提過了？），相信生命有種種機會，相信你在地球上有你自己的價值，如果你覺得自己不配擁有翅膀，那麼你永遠無法離開地面、在天際翱翔。

去流一身汗、弄髒雙手、努力用功吧。愛迪生說大多數人之所以常常錯失機會，是因爲機會穿著工作服，看起來像需要花費很大力氣的工作。你是否準備好使出全力地拚了？

我必須承認，維格夫婦一開始連絡上我時，我並沒有特別在意這件事。凱爾超替我開心的，他試著告訴我他這兩位製片人朋友的事，還有他們爲我做的計畫。不過，可憐的凱爾只講到「我有朋友想爲你拍部電影……」，就被我打斷了。

「凱爾，我現在忙到沒時間跟你的朋友談啦。」我狂妄地說。

我已經四處旅行演講很久了，很累也很煩。而且說也奇怪，我最近才剛被另一個電影提案搞得很抓狂。那時聽過電影大綱之後（一部劇情長片哦！），我興奮了好幾個月，接著我就收到他們寄來的劇本。結果我發現，製片人要我扮演的角色是個滿口粗話、老是在嚼菸草的傢伙；而根據劇本設定，我大部分時間都被裝在一個大痲袋裡，讓某人背在背上

到處跑。

我可不想以這種角色展開——或結束——我的電影事業，所以拒絕了。不是每個機會都值得一試，你要忠於自己的價值觀，並將它們融入你的長遠目標。你想要留下什麼樣的痕跡？你希望人們記得你什麼？我可不希望我的孫子某天找到一部電影的DVD，發現力克爺爺有演出，而且在裡頭講些不三不四的話，臉頰還淌著菸草汁，活像個敗類。所以我就對那第一個電影提案說「謝謝再連絡」了。

我喜歡拍電影這個點子，但不會為了拍電影就拋棄自己的價值觀。或許你也得做類似的抉擇，所以要堅強，堅守自己的原則，但不要跟我犯同樣的錯——我的意思是，當我關上第一扇門之後，也關上了我的心。

那就是為什麼當老好人凱爾與高采烈地跟我提到維格夫婦的拍片計畫時，我想都沒想就打了他一槍。我看不見未來，因為我看的是「後」視鏡，當然無法看到前方的未來。我真是大錯特錯。

幸好，維格夫婦沒那麼容易洩氣。他們請另一個朋友連絡我的媒體經理，他讀了他們的劇本，覺得很喜歡，就帶來給我看。一讀到劇本，我馬上就發現我欠凱爾一個道歉。維格夫婦寫的故事跟希望與自重有關，主題深得我心。

此外，誰比我更適合演這部電影？片中的主角「沒有四肢的威爾」是他們特地為我量

身打造的，影片一開始，威爾是個脾氣壞又沮喪的「小怪物」，在一個破爛的馬戲團表演餘興節目。後來，有好心人介紹他到一個待人比較厚道的馬戲團，威爾在那裡成了高空跳水明星。

我了解到，我應該甩開我那些「但是」，趕緊行動吧。我向凱爾道謝，並請他安排我跟維格夫婦碰面。許多大事件陸續展開：我們見面，談妥合作，然後我就簽字了。當我知道好幾位有經驗的演員已經同意加入時，我更加興奮了！

這是一個低預算、快速進行的計畫，我只須騰出一個禮拜的時間拍攝我的鏡頭即可。你可以去看看影評，再決定我在娛樂圈有沒有前途，不過，我們這部《蝴蝶馬戲團》（*The Butterfly Circus*）得到「門柱影片計畫」最大獎，獎金十萬美元。而因為得到這個獎，讓這部短片備受矚目，維格夫婦正在考慮要不要把它發展成一部劇情長片。

那我可能會再度跳進這個計畫喔。畢竟，能演這個角色的演員不多，因為他必須沒有四肢，然後又會跳水、游泳，還可以操一口流利的澳洲腔。

做足準備，開始行動

要追求夢想，就必須採取行動。如果你沒有你想要的，或許就該自己創造，上帝會照亮那條路。你一生的機會、你的夢想之門已經打開，顯明你人生目標的道路隨時都會出現，所以請做好準備，盡你所能，學習一切你該知道的。如果一直沒人來敲你的門，就自己去敲壞幾道門，然後有一天，你就會踏進你渴望的人生。

要竭盡全力、擁抱這一刻。在我演說生涯初期、背痛問題還沒出現之前，每次演講結束後，我都會給每個想抱我的人一個擁抱。我很驚訝、也很感激總是有許多人排隊要跟我說話，然後緊緊地擁抱我。我在這些場合遇到的人都有自己的獨特之處，那是一份我可以帶走的禮物。你對「機會」也必須有這樣的感覺。乍看之下，那好像不是什麼絕佳的黃金機會，然而一旦你火力全開，它或許就會發出光芒。

自己創造機會

即使已經建立了人生目標，擁有強大的盼望、信心、自尊、正面態度、勇氣、彈性、適應力和良好的人際關係，你也不能坐等機會上門。你必須抓住每條線，編出一條可以讓你攀爬的繩索。有時候，你發現掉下來的大石頭雖然擋住你的路，但留下了一個洞，這個洞可以帶你前往更高的地方，問題是，你必須有勇氣和決心往上爬。

我們「沒有四肢的人生」這個組織的座右銘之一是：「總有一天，總有機會。」我們不是只把它裱框掛在牆上，還試著每天活出這句話來。心理學家兼領導學老師卡拉·芭克博士在她《赫芬頓郵報》的部落格上寫道：「力克讓我們知道，即使面臨幾乎世上所有人都覺得無力的處境，還是可能利用這樣的處境喚醒心靈、激勵他人。力克是個英雄，在大多數人都看不到出路時，他卻找到了機會。」

芭克博士的溢美之詞讓我愧不敢當。不過小時候我就知道，如果一直為自己沒有的東西生氣，或是為自己做不到的事情沮喪，只會讓大家對我敬而遠之；但是當我開始找機會為別人服務時，大家就會被我吸引。我學會不要坐著等，而是要起而行，自己創造機會，因為一個機會將帶來另一個機會。每次去演講、參加活動或拜訪新地方，我都會遇到許多人、認識新的機構，並蒐集到將來有一天會為我打開新機會的資訊。

化了妝的祝福

一旦我將注意力從生理上的困難，轉移到這種狀況所帶來的祝福時，我的生命便戲劇性地改變，而且是變好了。你也可以這麼做。如果我能了解，從許多方面來看，我這個身體是上帝偉大奇妙的禮物，那麼你是否也能看出，你所領受的祝福或許也化了妝，甚至深藏在你自認爲最嚴重的弱點之中呢？

一切都是看事情的角度問題而已。人都會遭受一些打擊，除非你被重擊到直接昏迷，否則你會變得沮喪、生氣和悲傷，但我還是鼓勵你擺脫絕望和苦澀。你可以被巨浪吞噬，也可以駕浪抵岸——也就是說，生命中的挑戰可以把你打倒，也可以助你高升。有一口氣在就値得感謝，請用這份感激戰勝絕望和苦澀，一步一步地建立動能，創造你想要的人生。

我身體上的障礙迫使我必須厚著臉皮去跟大人小孩講話、互動，同時也因爲這個障礙，我要求自己一定要強化數字能力，這樣即使演說生涯發展得不順利，我總還有個吃飯的傢伙。我常常在想，即使因爲身障讓我遭遇一些心碎的打擊，對我也是好的，因爲那讓我對別人更有憐憫之心。同時，我所經歷的失敗也讓我對成功更加感激，也更能同情艱苦

奮鬥或失敗的人。

建立我的「力克爺爺」法則

請記住，並非每個機會都是一樣的。這章的一開頭我提到，在接受第一個電影角色之前，我拒絕了先前那個提案。

看了《蝴蝶馬戲團》你就會知道，威爾——我所飾演的角色——一開始並不是個鼓舞人心的傢伙。事實上，因爲心裡有很深的苦毒和絕望，他其實有點討人厭。但我之所以接演這個角色，是因爲威爾經歷一個轉變過程，克服了他的痛苦和怨恨。就像身上長滿刺毛的毛毛蟲蛻變成飛舞的蝴蝶一樣，威爾慢慢脫去他的懷疑和不信任，成爲一個自重、充滿愛且激勵人心的人。

這就是我希望世人認識的我。那你希望人們怎麼認識你呢？在前面幾章，我們討論到擁有目標的重要性，當機會來臨，或是你爲自己創造了機會時，你必須自問：「這合乎我的人生目的和價值觀嗎？」

怎樣才算好機會呢？能夠帶領你更靠近夢想的，就是好機會。當然也有其他類型的機

會，例如朋友約你出去混，然後浪費了一整晚，或者你跑去打電動，而不是為工作上的會議做準備，或是讀某一本書加強技能。你做的選擇決定了你會過什麼樣的人生。

多思考一些，為如何使用時間和精力建立更嚴謹的評估標準。不要單憑當下的美好感覺做選擇，而是要用你的價值觀和原則來衡量，思考怎麼做對實現自己的終極目標最有幫助。我用的是「力克爺爺」法則：我的孫子是會為我這個決定感到驕傲，還是覺得他們的爺爺根本就是未老先衰、腦袋有問題？

如果你需要建立一套正式、嚴謹的程序來評估各種機會，就在電腦前面坐下來，或者拿出紙筆，製作一份「評估工作表」。針對每個機會，寫下它的正面和反面，然後評估每個正反面之處與你的價值觀、原則和人生目標吻合的程度。然後試著想像一下，如果你穿過那道門，會發生些什麼？如果你把它關上，又會如何？

假如你還是很難做決定，就帶著評估工作表去找你所信賴的良師益友，或是看好你、希望你成功的朋友，跟他們討論正反觀點，聽聽他們的意見。你要敞開心胸，但也要知道最後該負責任的是你自己。這是你的人生，你的決定會讓你獲得回報或付出代價。所以，請做出明智的抉擇。

你眞的準備好了嗎？

在評估時，還得考慮時機。有時——特別是在你年輕時——一些誘人的機會出現的時機可能不太對。例如，你不會想在自己還不夠格或還沒準備好的情況下，接受某一份工作，就好像你不應該急著去進行自己負擔不起的奢華之旅，因爲要付出的代價太高了，事後你可能得花很長的時間才能恢復。

我演說生涯初期犯下的重大錯誤之一，就是我在其實還沒準備好要面對一大群聽衆之前，就接下一個大型演講的邀約。當然，不是說我沒啥好講的，只是我還沒把自己要講的東西組織好，表達技巧也還磨得不夠亮。所以，我缺乏完成那次演講的自信。

我結結巴巴地講完，大家都對我很好，但我眞的搞砸了。不過等情緒平復之後，我也從那次的經驗中學到，我應該抓住的是那些我完全準備好、處理得來的機會。這不是說你不應該抓住某個機會或選擇，好強迫自己藉此擴展境界和成長，因爲我們的狀況有時比自己知道的要好，因此上帝會推我們一下，讓我們應時而起，朝著自己的夢想邁一大步。

當紅的選秀節目《美國偶像》就是根據這樣的概念製作的。有許多年輕的參賽者在壓力之下崩潰，或是了解到他們根本還沒準備好要進入演藝圈。然而偶爾總有些素人會冒出

來，並且在強烈的壓力下大放異采。

你必須衡量各種選擇，並細心評估，看看哪些是能夠帶你到目的地的踏腳石，哪些又會讓你失足跌倒。就像我遇上的第一個電影提案一樣，你也會碰到那種可以帶給你短期好處，卻不符合你的長期目標的機會。別忘了，今天你做了什麼樣的決定，就會帶給你什麼樣的明天——年輕人不太了解這一點，所以常常在還沒想清楚這個人是否適合長久在一起時，就快速跳入一段親密關係裡。

在網路上，我們要非常注意安全問題，不論是財務狀況、名聲或我們必須保護的私生活都要小心。我們要假設，你在網路世界所做的每一件事——有你出現在裡頭的照片和影片、你發的每封email、在網誌上發表的每篇文章、你網頁上的每則評論——都會在某時某地出現在搜尋引擎上，而且它們在地球上存活的時間可能比你長；一旦你不假思索就把一些東西放到網路上，日後它們會如何對你糾纏不休？請仔細想想這樣做的後果，然後要記住，在評估機會時也是如此。機會帶來的結果可能會幫助你或傷害你，而無論是助益或傷害，都會是長期的。短期的好處或許看來很棒，但長遠的後果會是什麼呢？

往後退一點，宏觀地來看。請記住，你經常接受考驗，但人生可不是一場考試，它是玩真的。你每天所做的決定會影響你的一生，所以請仔細評估，然後聽聽你的直覺和你的心怎麼說。如果直覺告訴你，這不是個好主意，那就聽直覺的吧；但如果你的心告訴你要

把握機會，而這個機會又符合你的價值觀及長期目標，那就去做吧！有時候，某些提議會讓我興奮到全身起雞皮疙瘩，迫不及待想要趕緊投入，但我必須沉住氣，祈求上帝賜給我智慧，做出正確的決定。

去一個機會找得到你的地方

如果你已經做好準備，卻找不到向你敞開的機會之門，那麼或許你必須重新爲你自己和你的才能找到對的地方。例如，如果你的夢想是成爲世界衝浪冠軍，那阿拉斯加這個地方可能沒辦法給你太多浪，對吧？有時你必須移動一下，才能抓到機會。幾年前我想通了，如果我希望自己的演講事業有更寬廣的聽衆群，觸及世界各地的人，就必須離開澳洲，到美國去。我愛澳洲，大部分的家人也還在那裡，但位於南半球的澳洲實在太遠了，不適合當作基地，而且所提供的選擇和曝光機會也不及美國。

當然啦，即使來到美國，我還是要非常努力才能創造自己的機會。我所做的最棒的一件事，就是跟一些人建立連繫，他們都能分享我對於演說和激勵他人的熱情。研究顯示，大多數人是透過朋友和同事得知工作機會，而其他機會也是這樣來的，從一些祕密管

道，你會比其他人更早得知消息。無論要找的是眞愛、工作、投資機會、擔任志工或一展長才的地方，你都可以透過參加專業團體、地方俱樂部、商會、教會或公益組織，來創造你自己的機會。另外，網路上也有許多可以量身訂做合作網絡的地方，例如**Twitter**、**Facebook**、**LinkedIn**和**Plaxo**等等。你的圈子愈大，就愈有機會找到打開的夢想之門。

不要把自己活動的範圍限制在你有興趣的領域，只跟相關的人、機構或網站打交道。每個人都會認識一些人，然後那些人又會認識另外某些人，所以，去尋找熱情又致力於追求夢想的人吧，即使他們的夢想跟你截然不同也沒關係。我喜歡有熱情的人，因爲他們會像強力磁鐵一樣，把機會吸過來。

另一方面，如果現在和你混在一起的人無法認同你的夢想或你對於改進自己人生所做的努力，我會建議你換一批新朋友。那些整天泡在酒吧、夜店和電動玩具店裡的人，有幹勁的不多。

如果你無法引來自己想要的機會和選擇，那你可能需要再進修，增加自身實力。進不了大學的話，就從社區大學或技術學院開始。申請獎助學金的機會比你想像的要多，所以不要因爲學費問題就退縮了。如果你已經有了大學文憑，或許可以更上一層樓，修個碩士或博士，或者加入跟你的領域相關的專業團體、線上社群、網路論壇或聊天室等。總之你要記住，如果機會沒來找你，你就必須去一個它們能找到你，或者你能找到它們的地方。

把檸檬變成檸檬汁

愛因斯坦說過，每個難題之中都存在著機會。最近的經濟衰退已經讓好幾百萬人失業，不計其數的人沒了房子和積蓄。在如此困難的日子裡，能有什麼好事呢？

目前檯面上一些知名企業都是在經濟蕭條和衰退時期起家的，例如惠普、箭牌口香糖、優比速（UPS）、微軟、賽門鐵克（Symantec）、玩具反斗城、Zippo打火機和達美樂披薩等。這些企業的創辦人都在尋找更新、更好的方式來服務顧客，因爲在整個大環境不好的時候，過去的經營模式根本不管用。而他們抓住了時機，創造出自己的做生意方式。

二〇〇六到二〇〇九年的經濟衰退，無疑對許多個人、家庭和企業都造成深遠的影響。很多人被公司開除或資遣，但他們的回應方式卻是去創業、重返校園進修，或者終於開始追求自己眞正熱中的事物，例如開個小小的烘焙坊、開園藝公司、組樂團，或是寫一本書。

在這次經濟衰退中失業的人，有數以千計是新聞工作者。當過記者的人對於自己的足

智多謀和創意都很自豪，所以觀察他們如何因應自己失業的事實很有意思。我認識的幾個記者就進入新的職場，如公關公司、非營利組織、網路媒體和部落格。其中我最喜歡的故事是，有一位因爲公司業務量萎縮而離開加州某報的記者，後來成爲一家頗受歡迎的危機管理公司的副總裁，這家公司專門替衰退的企業精心打造「破產溝通」的方法。這是「把檸檬變成檸檬汁」的哲學，也就是把焦點從發牢騷轉到想辦法。你要有彈性、要意志堅定，並且準備好將負面的局勢轉爲正面。美國一家大型連鎖零售商就是這麼做的，他們教銷售人員要把客訴視爲改善顧客關係、讓他們成爲老主顧的機會。

關鍵在於用不同的眼光看待你面臨的事。每次我的計畫碰上意想不到的障礙時，我都會提醒自己：「上帝不會浪費祂的時間，所以祂也不會浪費我的時間。」換句話說，無論面臨什麼狀況，最後一定會是好事一樁。我眞的這樣相信，希望你也是。一旦你相信這個哲學，就往後站一步，靜觀其變吧，我已經一次又一次地看到事情的確是如此發展。

上帝自有安排

幾年前，我跟看護搭飛機在全美各地跑透透，在某個機場，班機延誤了（不意外）。

當我們終於登機、飛機在跑道上滑行時，我望向窗外，看見引擎在冒煙。然後，消防車嗚嗚叫著過來了，消防人員跳出來，向飛機引擎噴灑泡沫，搶著滅火。而因爲引擎失火，乘客被告知要緊急疏散。

好吧，我想，引擎失火是不太妙，不過引擎突然冒火時，我們是在地面上，這倒是件好事。當航空公司廣播說我們的班機還要再延誤兩個鐘頭時，不少乘客氣得狂罵。我也覺得煩躁，但又很高興不必遭遇可能發生的空中驚魂——至少我是這樣告訴自己啦。

不過，想到我們的行程安排眞的很緊湊，我實在很難保持正面態度。但我告訴自己：「記住，上帝不會浪費時間。」然後，另一個廣播聲音響起了，原來航空公司已經爲我們安排了另一架飛機，可以立刻起飛。好消息！

我們立刻去新的登機門排隊登上飛機，準備起飛。我鬆了一口氣，直到發現坐我隔壁的女士正安靜地啜泣。

「有什麼我可以幫妳的嗎？」我問道。

她解釋說她要飛去看她十五歲的女兒，因爲一場例行手術出了嚴重差錯，讓她女兒命在旦夕。我竭盡所能地安慰那位母親，幾乎一整個航程都在跟她講話。我還說了一句話，把她逗笑了——當她說搭飛機讓她很緊張時，我告訴她：「那妳可以握住我的手。」

抵達目的地時，那位母親謝謝我安慰了她。我跟她說，在班機延誤了這麼多次，又換

了不同的登機門之後，最後可以坐在她旁邊，我心裡也充滿感激。
那天上帝並沒有浪費我的時間，祂知道祂在做什麼。上帝把我放在那位女士身旁，讓我幫她減輕恐懼和悲傷。對那天發生的事想得愈多，我就愈感謝能有機會以同情心傾聽那位女士心中的苦。

近乎全盲的攝影師

失去摯愛、關係破裂、財務有困難或生病可能會毀了你——如果你任由悲傷和絕望將你淹沒。有個方法可以在這些挑戰中殺出一條路：即使生命似乎要把你擊倒，也要仔細注意有什麼浮現出來。

我在《蝴蝶馬戲團》的拍攝場地遇見了攝影師葛蕾妮絲．史維遜。她雖然住在奧蘭多，但在本片導演、也是她的朋友維格夫婦的邀請下，來到加州擔任這部片子的側拍攝影師。葛蕾妮絲得過獎，常常接受雜誌社、企業、報社和網站的委託，擔任攝影工作。她同時也從事人像和自然攝影。她很愛攝影，這是她的熱情所在。

葛蕾妮絲曾在大企業的人力資源部門工作了二十多年，卻在經濟衰退中失去了「安

全又有保障」的工作。但葛蕾妮絲接受了這個挫折，並利用前進的動能去追求自己熱愛的事，於是成了一位全職攝影師。

「我想，現在不做，就永遠沒機會了。」她說道。

很棒的故事吧？葛蕾妮絲眞是好樣兒的，她把可能帶來負面結果的事情，變成創造更美好人生的機會。眞了不起！

還不只這樣呢！你知道嗎？葛蕾妮絲這位得獎攝影師近乎全盲。

「小時候我的視力就很弱，」她說，「五歲就戴上眼鏡，不過視力還是愈來愈差。大概在一九九五年，我被診斷出眼角膜病變，角膜變形且退化，甚至到了左眼看不見的地步。因爲我的近視非常嚴重，所以沒辦法做雷射手術，唯一的選擇是角膜移植。」

二〇〇四年，葛蕾妮絲接受了這項手術。醫生告訴她，手術後，她左眼的視力在不戴眼鏡、也不戴隱形眼鏡的情況下，可以矯正到〇．五。「但所有可以出錯的地方都出了錯，只差沒廢了我這隻眼睛。」她說，「手術讓我的視力變得更差，還出現青光眼。我的左眼視力變差，接著是右眼視網膜出血（和手術無關），所以現在上面有個盲點。」

從工作了二十多年的地方被資遣，然後經歷一場差點把她弄瞎的失敗手術和視網膜出血，葛蕾妮絲如果絕望、放棄，大概沒人會怪她，說不定大家還覺得她應該更痛苦、更憤怒一些才對。

但情況正好相反。因爲心懷感激，葛蕾妮絲的生命得以飛得更高、更遠。

「我不認爲自己『殘障』或『失能』，反而覺得自己更有能力了，因爲近乎全盲讓我成爲一個更好的攝影師。」她說。

葛蕾妮絲已經看不見細微處，但她不覺得自己被剝奪了什麼，反而因爲不必再執著於一些小地方、小事情，所以心懷感激。

「在失去大部分的視力之前，如果是人像攝影，我甚至會注意每根頭髮，以及這個人身體的每個角度。因爲太注意局部，所以我的作品看起來很僵硬、不自然。但現在我的拍照方式比較像是直覺反應——我感覺，我看，我拍！現在我的作品比較出於直覺，跟周遭的人和環境也有了更多互動。」

葛蕾妮絲說，她現在拍出來的照片會有瑕疵，但是更具藝術性、更動人了。「有個小姐看到我爲她拍的照片後哭了出來，因爲她覺得我眞的抓住了她的神韻。」她說，「過去我的作品從來沒有感動過任何人。」

自從失去大部分的視力之後，葛蕾妮絲的人像和景觀攝影作品已經得到十個國際獎項，她所拍的一幅照片還從一萬六千件參賽作品中被選出來參展，入選的作品只有一百一十一件。

眼盲讓葛蕾妮絲無法繼續原來的人資工作，然而許多偉大的藝術家——例如莫內和貝

多芬——卻不受身體的障礙所限，在藝術領域卓然有成，因爲他們把障礙當作機會，爲自己藝術表現開發了全新的方式。

葛蕾妮絲充滿感激地告訴我她最愛的一節《聖經》經文是：「因我們行事爲人是憑著信心，不是憑著眼見。」（❶）

「事實上，這說的就是我現在的人生，不過讓我做一點補充。我當然會擔心全盲，那眞的非常、非常、非常可怕，畢竟這種事也沒有使用手冊可以參考啊。」她說道。

葛蕾妮絲走在一條全新的路上，她將此視爲禮物，而非生命的瓦解。「我以前是個控制狂，但現在我試著一天一天地過，享受每個當下。」她說，「另外，我爲了自己還活著、爲了有棲身之所、爲了太陽依然照耀而感恩。我不擔心明天，因爲我們永遠不知道明天會如何。」

葛蕾妮絲眞的很棒，是個擁抱機會的人，對吧？她鼓舞了我，而我希望她也激勵了你去尋找並明智地選擇向夢想前進的方法，然後當你的心說「去吧」的時候，請採取行動。

注❶：《聖經》哥林多後書第五章第七節。

第十一章

我的「可笑法則」

無論工作或玩樂，我都盡全力探索自己的極限；而當工作與玩樂合而為一時，我的感受更是好得不像話，好到最高點。

我們在印尼的「五都演講之旅」正進行到一半，按照計畫，我將在九天內進行三十五場演講。我應該已經累得像條狗才對，不過在這種瘋狂忙碌的行程中，有時我會加速前進、停不下來。那時我們正要前往爪哇，從雅加達飛往三寶瓏。登機時，我突然覺得自己精力旺盛。

那次共有五個人跟我一起旅行，包括我的看護寶漢，他是個很愛玩鬧的大塊頭。空中小姐對他印象應該滿深刻的，因爲我們登機時一直互相取笑。由於我必須從輪椅下來，再經由通道走到我的座位，所以大家都會讓我們先上飛機。當我沿著機艙裡的通道往前走時，寶漢跟在我後頭，我突然有股衝動，想要嘗試一件我想了滿久的瘋狂事。

「快，寶漢，趁著別人還沒上飛機，把我舉起來，看看我能不能塞進行李櫃裡頭。」我說。

我們常常開玩笑說要這樣做。幾天前，我叫寶漢把我放進機場出境區一個金屬架子裡，這個架子是用來檢查旅客的行李能不能塞進機艙的行李櫃。結果我一下子就被塞進去了，所以他們開始叫我「手提行李小孩」。

機艙座位上方的行李櫃相當高，我不確定有人可以把我三十四公斤左右的身體舉到那裡，但寶漢可就沒問題了。他把我舉起來之後，輕輕放進我座位上方的行李櫃，彷彿我成了「**Vuitton**」（❶），而不是「**Vujicic**」（❷）。

「好，現在關上行李櫃的門，然後等著其他乘客登機吧。」我說。

寶漢塞了個枕頭到我的頭下面，然後把門帶上，讓我棲身在座位上方的櫃子裡。空服員看到我們搞的鬼，爆笑出來。我們全都像小孩子一樣竊笑著，實在不知道等一下要怎樣演下去。其他乘客魚貫上了飛機，渾然不知他們頭上有個偷渡客。

當一位老先生來到我的行李櫃這裡要放行李時，我的工作人員和空服員簡直控制不住自己，快要笑出來了。他打開行李櫃的門……然後跳了起來，差點撞破機艙的天花板。

我探出頭來。「先生，你好像沒有敲門哦！」我說。

幸好那位老先生脾氣很好，跟著我們一起捧腹大笑。接下來，我就在這頭頂上的棲身之地擺姿勢，跟他及其他乘客和空服員合拍了好幾百張照片。當然，寶漢一直威脅我說要把我一直留在那上頭，還警告我「飛行期間有些東西可能會被掉包哦」。

絕對的可笑勝過絕對的無聊

在前面的十章裡，我給了你各式各樣的鼓勵和指引。現在，我要你瘋狂一點，像我一樣。

我是很好笑沒錯，事實上，我希望你也是如此。我是「可笑法則」的創始人，這個法則主張：地球上所有人每天至少要做一件荒謬可笑的事，無論是執著於追求一個夢想，讓旁人看了大呼可笑，還是單純做一件可笑的事都可以。

我的可笑法則源自我最喜歡的名言之一：「不完美是美，瘋狂是天才，絕對的可笑勝過絕對的無聊。」

我當然同意不完美是美，我幹麼不同意？而你也不能說瘋狂是天才這句話不對，例如冒險的人常常被某些人認爲是瘋子，但被另一些人認爲是天才。此外，我也的確認爲絕對的可笑勝過絕對的無聊。

你可以掌握這本書的每個論點，但如果你不肯冒一點險，或者被那些不知道你厲害的人罵你是瘋子就怕了，那麼，你可能永遠也沒辦法完成你想要實現的夢想。爲了你、也爲了這個地球，拜託你放開膽子、愛玩一點。別忘了偶爾嘲笑自己一下，給自己找點樂子，這樣你才能好好享受這趟生命旅程。

行程太滿、工作過量、玩樂不足的生活型態讓我很難受。我立志成爲福音布道家和激勵講師，爲了磨練演講技巧，我四處奔波，盡可能接下每個邀約。經過八年馬不停蹄的巡迴演講，現在的我已經有所選擇。我需要過平衡一點的生活。

我們很容易陷入「有一天」這種心態：

「有一天，我會有許多錢，到時就可以享受人生啦。」
「有一天，我會有更多時間跟家人在一起。」
「有一天，我會有時間放鬆一下，做自己想做的事。」

根據「可笑法則」，我鼓勵你自由採取以下兩大態度：

一、**可笑的冒險**：甩開那些懷疑和反對的人，向前躍進，活出你的夢想吧。或許有人會說你很可笑，那你就回答：「沒錯，我是啊。」對那些不理解你的願景或熱情的人來說，你所喜愛的那些事或許眞的很荒謬吧，但是別讓他們的訕笑消滅你的夢想；相反地，你要借力使力，一路往夢想高處攀登！

二、**可笑的樂趣**：花點時間享受人生、跟所愛的人在一起。去歡笑、去愛，然後來點可笑的樂趣，讓別人分享喜悅吧。如果你覺得人生很嚴肅，不妨想想死亡！生命很可貴，該嚴肅的時候要嚴肅，但是該嬉鬧的時候，還是要嬉鬧。

可笑的冒險

童年時失去視力和聽力的海倫．凱勒，後來成了知名的社運人士和作家。她說，世

上沒有安全的人生這回事。「大自然中不存在這種東西……人生要不是大膽的冒險，不然就是零。」所以，風險並不只是人生的一部分，它就是人生。你的人生就位於舒適區與夢想之間，這個區域充滿焦慮，但你也在其中找到自己。高空鋼索表演傳奇家族的大家長卡爾．華連達（**Karl Wallenda**）曾說：「站在鋼索上才是人生，其他的一切都是等待。」

每個從事高空跳傘的人、飛行傘運動員和笑翠鳥的寶寶都知道第一次走到山崖邊非常可怕，但如果想飛，就非走到那裡不可。面對現實吧，每一天都可能是你的最後一天，所以光是起床都是孤注一擲。除非願意面對挫敗，否則你不可能成為贏家；不冒著跌倒的風險，你甚至無法站立。

出生以來，我每天的生活都是一場冒險，我能不能打理自己、照料自己不無疑慮。我爸媽有雙倍的煩惱，因爲他們這個孩子不但沒有四肢，還整天追求刺激。我無法忍受呆呆坐在角落，所以老是讓自己置身險境，溜滑板、踢足球、游泳、衝浪樣樣來。我把自己這個零件不足的身體當作沒有導航系統的飛彈，到處亂竄。很可笑吧！

讓我大開眼界的潛水經驗

二〇〇九年秋天，我嘗試了一件有人認爲對我來說太危險的事：我去海裡潛水。你們或許猜得到，我玩得很過癮，那就像飛行，但著陸地點比較軟。三年前我曾試過要潛水，但當時的指導員只准我換上潛水裝備，在水池裡拍打個兩下。我想，他是關心賠償金遠勝於我的安全吧？

我這次的指導員菲利普心胸比較開闊，他在南美洲的哥倫比亞外海一個小島上擔任潛水指導員。我應當地一個豪華度假村主人的邀請，前去演講；當我出現在潛水課時，菲利普只問我：「你會游泳嗎？」

一旦證明了我的適水性，菲利普就給我上了一堂度假村式的潛水速成課。我們設計了幾種肢體語言，如此一來，我就可以在水中透過移動肩膀或頭，來跟菲利普溝通，讓他知道我什麼時候需要幫忙。然後，他帶我到離岸邊不遠的水裡進行測試。我們在那裡練習了一下，試用水中溝通法，也檢查了裝備。

「好啦，我想你已經準備好了。」菲利普說。

他穿著蛙鞋、抓著我的腰，和我一起潛到礁岩區，我看到五彩繽紛、令人目眩神迷的海洋生物。接著菲利普讓我自己去探索礁岩，他則浮在上方，只有在一條大約一公尺半的海鰻從珊瑚礁的縫隙中冒出來時，出馬救了我一次。我在某個地方讀過這種肉食性鰻魚的牙齒被細菌包覆，超噁的，所以就跟菲利普打暗號，請他來把我扔到友善一點的海域去。

我可不想變成「力克生魚片」。

這次的經驗讓我大開眼界。你可能會懷疑我有必要冒這種荒謬可笑的風險嗎？當然有，因爲踏出舒適區會帶來伸展與成長的可能性。你的人生一定也有什麼是你想冒險一試的吧？我鼓勵你去做，去試水深，讓生命更上一層樓——即使你想做的事是在水面下。跟海豚一起游泳、與老鷹一起飛翔、爬山、探勘深穴都可以。跟力克一樣可笑吧。

現在請注意，可笑的冒險跟蠢蛋式的冒險是不同的。蠢蛋式的冒險是指那種光想就很瘋狂的事，你不該冒那種會讓你失去比得到更多的風險。而可笑的冒險則是指那些看起來很瘋狂，但事實上並沒有那麼危險的事，只要：

1.你已做好準備。
2.你已盡量減低風險。
3.如果出了差錯，你有備案。

重點不在規避風險，而是控制風險

我在大學上財務規畫和經濟學的課程時，曾經學過如何降低風險。商業世界一如人

生，大家都知道不可能完全規避風險，但你可以在跳進去爛泥巴之前，先測量它有多深，以便控制或減低風險——不論你要跳進去的是哪種爛泥巴。

生命中有兩種風險：嘗試的風險和不去嘗試的風險。也就是說，不論你怎樣試著避免或保護自己，風險總是存在的。比方說，你想追求某個人，光是打電話約她出來就是一場賭博。你可能會被拒絕，但如果連試都不試，又會得到什麼呢？說不定對方眞有可能答應，然後你們就這樣走下去，從此過著幸福快樂的生活啊。請記住，如果不去嘗試，就沒有「從此過著幸福快樂的生活」這回事。吃點苦頭算什麼，是吧？

有時你會輸、會失敗，但是榮耀就出現在你一次又一次地爬起來、直到勝利出現的時刻！

要活著，你就必須向外伸展；要過得好，你就必須學會在行動前弄清楚利弊得失，然後掌握機會。你不能控制每一件事，所以就把焦點放在你能掌握的事情上，盡可能周延地評估每個可能性，然後下決定。

有時在評估過後，發現成功的可能性不高，但你的心或直覺會告訴你應該去試一試。也許你會輸，也許你會贏，但回首人生，我不認爲你會因爲曾經試過而後悔。過去幾年來，我開過幾家商業公司和地產公司，讀了許多跟企業家相關的書，書中總會談到風險這個主題。儘管企業家給人的印象是「承受風險的人」，但成功的企業家並不是很會承受風

險，他們是善於控管和減低風險，然後往前邁進——即使知道某些風險依然存在。

我的「風險管理可笑法則」

爲了幫助你處理人生一定會遇到的風險，我總結出「力克的風險管理可笑法則」——那個，你知道的，讀的時候「風險」自負。

1. 試水深

非洲有句古老的諺語說，沒有人會用兩隻腳去試河水的深度。無論你是想嘗試一段新戀情、想搬去另一座城市、想找一份新工作，或甚至是替自家客廳換上新的顏色，在大動作之前先來點小測試——在還沒弄清楚你到底要跳進哪裡之前，別急著一頭栽進去。

2. 知道多少做多少

這不是說你永遠不要嘗試新事物、認識新的人，而是說你可以藉由多做一些功課，來降低賭注的風險。一旦你認爲自己已經掌握了某個機會的利弊得失等所有面向，就該帶著自信展開行動。即使你無法知道所有的狀況，也該知道自己到底不知道些什麼——有時，這樣也夠了。

3. 檢查時間表

有時候，等到合適的時間點才行動也可以減低風險，增加成功的可能性。你應該不會想在酷寒的嚴冬中開冰淇淋店吧？像我進入電影事業，第一個機會不適合我，但是幾個月後，非常適合我的角色出現了，時機也對。有時候，多點耐心是値得的，給自己一點時間思考，別急著做決定。有什麼事，睡覺前寫下來，第二天早上醒來後再看一看。你會發現，經過一個晚上，事情看起來會很不一樣，我就這樣做過很多次。永遠要仔細評估時機對不對，決定在一個困難的時間點採取行動之前，還是要想想是不是有其他更好的時機。

4. 尋求第二意見

有時我們會去嘗試一件超過自己能力許多的事，那是因爲我們相信一定要馬上做這件事才行。當你發現自己急著進入一個詭譎刁鑽的領域時，請往後退幾步，去找你信任的朋友或人生導師，請他們幫你評估情勢，因爲你的感情已經超過理智，可能不適合單獨做決定。在美國我會去找貝塔叔叔，在澳洲則是找爸爸。三個臭皮匠，勝過一個諸葛亮，當某件事的風險太高時，請不要執意做江湖獨行俠。

5. 為看不見的後果做準備

我們的行動總是會有看不見的影響——我再重複一次：總是——特別是那些超越極限的行動。我們無法預見所有後果，所以要盡可能周延地考慮到每個角度，然後爲意想不到的狀況做好準備。我在做經營計畫時，會高估成本、低估利潤，以防事情進展得不如預期；如果一切都進展得很順利，資金有餘裕也沒害處啊。

可笑的樂趣

在機場等行李時，不要告訴我你沒想過要跳上行李轉盤，讓它帶著你在行李區到處晃？這很可笑吧，我就做過。

當時我們在非洲巡迴演講，我在機場等行李等得有點無聊，於是跟看護凱爾說我想坐上行李轉盤去兜風。

他看著我的神情好像在說：「你這傢伙是不是頭殼壞去了？」

不過，凱爾終究是答應了。他把我舉起來，撲通一聲地放在一個Samsonite旅行箱旁邊，然後我就跟著其他箱子、袋子往前跑了。我戴著太陽眼鏡，像座雕像似地搭乘行李轉盤暢遊航站，引來一大堆驚嚇的目光，每個人都指指點點的，還爆出緊張的笑聲。那些機場旅客實在搞不清楚我到底是：

1. 一個眞人。或者，

2. 全世界最具設計感的一捆布。

最後，我來到一個小門，通過這個門就到了裝卸行李的後場。搬運行李的工人們滿臉笑意地迎接我這個搭著轉盤逍遙遊的澳洲瘋小子。

「上帝保佑你哦。」他們為我加油。

這些行李工人了解，即使是個大人，有時也會想搭轉盤去兜風。小孩子從不浪費青春，他們盡情享受年輕的每分每秒，你我也應該盡全力保持這種青春活力。人生如果太墨守成規，會讓人悶瘋了，所以，來一趟可笑之旅吧，不管是什麼，只要能帶你重回兒時的歡樂時光就好。跳跳彈簧床、替小馬套上馬鞍，讓大人的你休息一下吧。

希望你善用每一秒鐘。我三不五時會放鬆一下，做些好玩的事。我鼓勵你也這麼做，以旺盛的精力探索上帝在這個世界上為我們預備的各種新鮮妙事。

活得可笑，意思是活在希望與可能性的交叉點上，擁抱上帝的目的和計畫。「可笑法則」的第二部分就是擁有荒誕可笑的樂趣，拒絕規律、超越限制。我的意思是，請享受這趟生命之旅，擁抱充滿祝福的人生，而且不只是活下去，更要活得豐富、滿足。

演講時，我常常站在講臺邊，搖搖晃晃的，好像快要掉下去了。我跟聽眾說，瀕險而活也不是什麼壞事，只要你對自己和造物主有信心。我不是說說而已，無論工作或玩樂，我都盡全力探索自己的極限；而當工作與玩樂合而為一時，我的感受更是好得不像話，好到最高點。我希望你也去追求這樣的感覺。

我的特技演出經驗

當我同意接演生平第一部電影《蝴蝶馬戲團》時，其實沒料到連特技部分也要我自己來。不過，誰又能做得比我好呢？又不是說有一大堆沒手沒腳的專業特技演員可以挑。

我很願意這麼做。如果我的澳洲老鄉羅素·克洛可以自己完成電影裡的特技演出，我爲什麼不行？再說，羅素可沒像顆海灘球似地，被壯漢喬治❸丟來丟去。在劇中的一場關鍵戲裡，飾演喬治的特技演員麥特·阿曼要把我丟進一個小水潭裡。這場戲讓麥特非常緊張，我自己就更不用說了。

我們在加州高地沙漠區聖加百列山的一條溪谷實景拍攝。水好冷，但這還不是最糟的。在這場戲中，我意外掉進水潭裡，嚇壞了所有人，大家都很怕我被淹死。不過我當然冒了出來，還秀了一下泳技。

看到我活著，壯漢喬治超興奮的，於是把我抓起來丟了出去。這次，他就眞的差點把我淹死了。

拍攝時，麥特很怕把我丟得太重或太遠而傷到我。剛開始的幾個鏡頭，他有點放不開，所以只把我丟到水深一公尺半左右的地方。導演鼓勵他用力丟，於是我像個魚雷一樣

飛出麥特的手。因爲擔心撞到岩石，所以下水時我拱起了背，這救了我一命。當我從水底冒出來時，每個人都開心得不得了，尤其是麥特。那種高興可不是演出來的。

不過更危險的一幕是高空跳水。這場戲雖然是在「特效專用背景螢幕」前面拍攝的，但我還是必須綁上安全帶，被吊到三層樓高——被幾條帶子吊在高處，眞的滿可怕的。當然，因爲現場有武術指導，所以我拍戲的風險減低了許多，他們細心處理安全網和繩索，所以即使最可怕的部分，其實也很好玩。

偶而適度地讓身體冒點險，例如去攀岩、衝浪或玩滑雪板，可以讓你更帶勁、更有活力。大人和小孩最喜歡的玩樂形式中，往往帶著一些風險，即使那種風險只是把心裡的八歲小孩釋放出來，讓你顯得很可笑。

玩樂是人的天性

精神科醫生史都華．布朗說過，玩樂是人的天性，而忽略天生的玩樂衝動就跟一直不睡覺一樣危險。布朗醫師研究死刑犯與連續殺人狂，發現這些人的童年幾乎都缺乏正常的玩樂模式。他說，玩樂的相反並不是工作，而是抑鬱，所以玩樂或許也可視爲一種生存技

能。

根據布朗醫師的看法，冒險的、打打鬧鬧的遊戲有助於孩童和成人發展社交、認知、情感和身體技能，他認為我們甚至應該把工作和玩樂結合在一起，而不是另外安排所謂的休閒時間。

我認識一些人，年輕時追求他人的認同與財富，到了晚年卻發現自己沒有享受到人生。不要讓這種事發生在你身上。為了生存，你有必須做的事，但也請你盡可能找機會追求自己熱愛的事物。

日復一日，人們陷在一成不變的生活中，為生存打拚，卻忽略了生活品質，這眞的很可怕。平衡並不是「有一天」才要達成的目標，所以別忘了找些荒誕可笑的樂子，享受有趣的活動，讓自己忘了時間、忘了身在何處。

研究指出，在做喜歡的事情時——不論是玩大富翁、畫風景畫或跑馬拉松——那種渾然忘我或全神貫注可能很接近眞正的快樂。釣魚是我最喜歡的休閒活動，而我在釣魚時，就常常陷入那種「湧動」（❹）的狀態。

爸媽在我六歲時帶我去釣魚。媽媽給了我釣魚的手線，用玉米粒當釣餌。她把餌丟進水裡，然後我用腳趾抓住手線。我是個意志堅定的人，肯定比魚有耐性。牠們早晚會咬走我的玉米餌，因為沒等到大魚上鉤，我是不會走人的。

我的策略成功了，一隻大約六十公分長的魚終於來追我的玉米粒——可能是因爲牠覺得我小小的影子在水面上陰魂不散很煩人吧。當這隻怪物咬住我的餌、帶著它跑時，我趾間的釣線被拉動，腳趾頭痛得要命。但我不放開這條大魚，巧妙地移動，整個人坐在釣線上跟牠拚了。當這隻大魚不停地拉扯釣線時，我的屁股被磨得好像要燒起來了。

「我釣到一條魚了！哎喲，我的屁股好痛！但是，我釣到一條魚了耶！」我大叫著。爸媽和堂兄弟們全都飛奔過來幫我把大魚拉上來，這條魚的長度跟我的身高差不多呢。結果我釣到的魚是當天最大的一隻，我吃的苦頭也算値得了。從此以後，我就讓釣魚這件事給鉤住啦。

後來我不只用手線，也用釣竿和捲線，這樣我的屁股就不會再出現燒燙傷危機。如果魚兒上鉤，我已經強壯到可以用肩膀和下巴夾住釣竿；要拋出魚餌時，我則是用牙齒咬住釣線，時機一到再丟出去——沒錯，釣線也是我的牙線，釣魚順便清牙縫。

一「肩」扛起指揮樂團的責任

如果你認爲釣魚這種娛樂對我來說有點誇張，那你覺得，當人們知道我在學校的樂團

裡不只是鼓手，還擔任指揮，會有什麼反應？不過，這是眞的。我很有節奏感好嗎？我來自一個打鼓狂家族，而因爲我天生有節奏感，幾個叔叔和他們教會的朋友便買了一部鼓機送我。這部鼓機讓我成了「沒手沒腳之一人打擊樂團」，不過教會的鋼琴手、風琴手和鼓手會加入，讓我覺得自己也是樂團的一員。音樂是我靈魂的慰藉，無論是聆聽或彈奏，我可以陶醉在聲波中，渾然忘我好幾個鐘頭。

我對音樂的喜愛來自高中的爵士樂團。或許我這輩子到目前爲止音樂表現的最高峰，就是我一肩扛起帶領高中樂團的責任那時候（眞的是一「肩」扛起哦）。你大概永遠也想不到這樣的工作會由我這種人接手吧。太─好─笑─了，對吧？

當時我們的音樂老師因爲健康問題不能參與彩排，所以我自告奮勇擔任這個六十人樂團的指揮。我知道所有要演奏的曲子，於是便站到龐大的樂手群之前，擺動肩膀來指揮他們。我敢說，他們那天的表演眞是好得不像話。

擁抱快樂得不像話的人生

大多數人都不清楚上帝爲我們的每一天、每個月、每一年或這一輩子計畫了什麼，

但我們每個人都有能力用大膽狂放加上可笑的熱情，爲自己增添光采，並且去追尋生命的目的、熱情與樂趣。在這一章裡，我細數了自己各種有趣的經歷，現在，我要問你一個問題：「如果不完美的我可以擁有這麼多荒謬可笑的樂趣，如果我可以挑戰極限、盡情享受人生，那麼你呢？」

用你的生命榮耀上帝，盡全力發揮能量和你的獨特之處。只要敢於荒誕可笑，你就能擁有快樂得不像話的人生。

注❶：LV（Louis Vuitton）的行李箱。
注❷：力克的姓氏。
注❸：George the Strong Man，《蝴蝶馬戲團》裡面的角色，是個力氣很大的特技演員。
注❹：flow，意思是與上帝的恩典同在，如同活水湧流。

第十二章

你的任務是付出

無論你能付出的是多是少，請記住，小小善行和巨額捐款一樣有力。光是改變了一個人的生命，你就有很大的貢獻。

二十歲那年，我決定到南非進行兩個禮拜的巡迴演講，而我跟邀請我的人從未見過面。爸媽對這個演講活動不怎麼熱心，主要是顧慮我的安全和健康，還有費用問題。你可以想像嗎？約翰．品格只看過我早期的一支影片，就決心邀請我去他的國家，爲那些最貧窮的人演講。透過教會網絡，約翰一個人爲我在南非的教會、學校和孤兒院辦了一系列的見面會。

約翰寫信、打電話、寫email，不斷邀請我到他的國家，這份堅持和熱情打動了我。在成長過程中，有時我會被我的境況、被未來到底該怎麼辦這種事折磨，能讓我擺脫痛苦的，除了禱告，便是走出去爲別人做點什麼。我愈是執著於自己的困難，感覺就愈糟；然而，當我轉移注意力，去爲有需要的人服務時，我的精神就會振奮起來，也了解到：受苦的不是只有我一個。

無論你能付出的是多是少，請記住，小小善行和巨額捐款一樣有力。光是改變了一個人的生命，你就有很大的貢獻，因爲一個簡單的善念會產生連鎖反應，引發類似的行爲，於是你一開始那個善行的結果將被擴大許多倍。想想看，你有多少次因爲某個人對你做了件好事，你心存感激之下，也轉身爲其他人做了點什麼？我相信，以這種方式回應是人的天性。

我在前面提過，有個女孩在我覺得自己很沒有用、很多餘的人生關鍵時刻，以一句簡

單而親切的話給了我信心。她激勵了我，讓我覺得自己或許也有些東西可以給出去；而現在，我在傳揚上帝之愛的同時，也試著去鼓舞世界各地有需要的人。當初那個女孩一份簡單的善意，已經被擴大許多許多倍。

所以，如果你說等到你擁有更多時，會做得更多，我希望你現在就去做你能做的，而且要持續。錢不是你唯一能貢獻的東西，無論上帝賜給你什麼，請以各種方式分享出去，讓他人受惠。如果你有木工或其他方面的技能，就去為你的教會、仁人家園（❶）、海地大地震的災民和其他貧困地區的人服務。無論是縫紉、歌唱、會計或汽車修理，你可以加倍貢獻才華的方式有很多。

一位香港高中生最近寫email到我的網站，他的故事說明了，不論年紀大小，也不論貧富，每個人都可以發揮影響力。

我很幸運，能過著美好的生活，但有時還是會覺得自己沒用、覺得恐懼。我很怕上高中，因為我聽過一大堆老鳥欺負菜鳥的故事。上學第一天，我跟其他同學一起加入了「行動人道主義」組織（❷），遇到一位很棒的老師。他要我們別把自己當成一個班級，而是要看作一個家庭。

隨著時間過去，我們學到很多，知道了世界各地發生的大事，例如一九九四

年在盧安達，以及最近發生在蘇丹達佛地區的種族屠殺。我和班上同學都湧現了之前從沒有過的感覺：熱情。我們渴望了解達佛地區的人到底發生了什麼事，並幫助他們。雖然大家不會對十四歲的孩子有太多期待，但我們找到一個方法讓世人知道我們如何發揮影響力。

我們舉行了一場表演，讓觀眾知道達佛這個地方到底發生了什麼事。我們找到了點燃靈魂的熱情。因著這份熱情，我們做到了意想不到的事，並募到足夠的錢，送了些基本民生物資給達佛地區的人。

這個年輕人說的話眞的很有智慧，對吧？服務他人的熱情或許是上帝賜給我們最棒的禮物。我相信達佛地區的人會對所收到的每樣東西心懷感激，無論禮物是大是小。上帝奇妙可畏的力量在於，想要爲別人做些什麼時，我們「願意給的心」和能力一樣重要。當我們伸手助人時，上帝就透過我們運作；當你願意去做好事時，猜猜看你可以仰賴誰的能力？上帝！《聖經》上說：「我靠著那加給我力量的，凡事都能做。」(3)

你希望別人怎麼待你，你就這樣對待別人。如果養成習慣，每天都做一些小小的善行，你會覺得充滿力量，並從自己受傷與失望的情緒中解放出來。當然，你不應該期待慷慨或幫助他人能讓你得到好處，但做好事會帶來意想不到的回報。

我很鼓吹無條件的慷慨，因爲這是榮耀上帝的事，也會讓祂的祝福加倍。此外我也相信，當你爲別人付出時，祝福會回到你身上。所以如果你沒有朋友，就去做別人的朋友；如果你某一天過得很糟，就去幫助某人，讓他那一天可以好過一點；如果你的感覺受到傷害，就去療癒別人的感覺。

你永遠不會知道，僅僅透過一個小小的善意行動，你會爲這個世界帶來多大的改變。小漣漪會掀起大波濤，看到我因爲被嘲笑而心情低落，過來跟我說我長得不錯的那位女同學，不只撫慰了我受傷的心，也點燃一簇火花，開啓了我日後走到世界各地去幫助他人的生涯。

走出去的熱情

不要擔心你到底能爲別人做多少，只要伸出手，並了解到，你的小小善行會加倍，而隨之產生的力量會強大到超乎你的想像。當約翰・品格捎來愈多消息，我就愈來愈常想到南非、愈來愈想去那裡，就跟那位香港學生一樣。

我爲可能的南非之旅禱告了三個禮拜，然後，我眞實地感受到召喚，要我去那裡。不

過，我對南非幾乎一無所知，而且之前從來沒有在爸媽不在身旁的情況下、旅行到那麼遠的地方。我爸爸有朋友住在那邊，跟他們通過電話後，爸爸心裡更是七上八下。朋友告訴他，南非的治安問題很嚴重，常有外來者被攻擊、打劫，甚至被殺。

「那個地方不安全，力克。」爸爸說，「你連這個約翰．品格是誰都不知道，爲什麼要相信他，讓他帶著你在南非到處跑？」

我爸媽就像天下所有的父母一樣，非常保護我，而因爲我身體的障礙，他們覺得自己更有理由顧慮我的安全。但是我渴望走自己的路、回應心底的召喚，我希望成爲福音布道家和激勵講師。

當我提出南非行這個可能性時，他們最初是擔心我的生活與財務狀況。那時我剛用賺來的錢買了第一棟房子，他們認爲我應該努力還清貸款，而不是到處亂跑。

聽到我透露以下這兩件事，他們的不安更是急遽升高：

1.我打算從存款中捐出兩萬多美元給南非的孤兒院。

2.我要帶弟弟一起去。

今天我從我爸媽的觀點回頭去看，已經更能理解他們爲何那麼擔心，但我的心意已決。《聖經》上面說：「凡有世上財物的，看見弟兄窮乏，卻塞住憐恤的心，愛神的心怎能存在他裡面呢？」（❹）我希望透過服務他人，以行動活出我的信仰；我憑藉著信仰勝過

身體的障礙，覺得自己更有能力，也認爲該爲我的人生目的展開行動了。

我還是必須說服父母，讓他們知道我的南非行是安全的。不過，我弟弟亞倫起初也不是那麼想跟我一起去。事實上，當我問他時，他一開始是拒絕我的，理由除了從新聞報導得知的南非暴力問題之外，另一個則是：「我不想被獅子吃掉啦。」我一直遊說他、刺激他，試著跟他解釋獅子的事。我已經號召了兩位堂弟同行，但其中一位後來退出，所以亞倫就覺得有義務幫我搞定這次的旅行。爸媽和我爲此行禱告，最後他們送上了祝福。雖然還是會爲我擔心，但爸媽相信上帝會照料我們。

永遠改變我生命的南非之旅

經過了一段長途飛行，我們抵達南非，接待的人依約在機場等我們。不知爲什麼，我一直認爲約翰．品格應該有點年紀，或許不是我父母那個年齡，但總該有三十幾歲吧。

但是那年他才十九歲，比當時的我還年輕一歲耶！

「呃，這次來南非或許眞的不是什麼好主意……」在機場見到約翰時，我心裡這麼想。

幸好，後來證明約翰是個非常成熟且能幹的小夥子，他讓我看見更多貧困和有需要的人，那是我以前未曾見過的。約翰告訴我，看到我的影片時，他深受感動，但我發現他的故事更教人動容，他的奉獻和信心讓我折服。

約翰成長於南非南部奧蘭治自由邦的某個農場，以前混過一陣子，不過後來成爲一個充滿熱忱的基督徒，現在經營了一家小型貨運公司。他感謝上帝改變了他的生命，並爲他的人生帶來祝福。

約翰決心邀請我到他的國家演講，主題是信心與激勵。爲此，他把車賣掉，以籌錢舉辦這次巡迴教會、學校、孤兒院和監獄的演講之旅。然後，他借來他阿姨的藍色休旅車，載著我往返開普敦、普雷多利亞、約翰尼斯堡等各個演講地點。

這次演講之旅的行程眞是瘋狂，我們每天只能睡四到五個小時。然而，這次旅行所認識的人、去過的地方、經歷的事情，永遠改變了我的人生。到南非演講讓我明白，我這輩子想要做的，就是到世界各地去分享充滿鼓勵與信心的訊息。

亞倫和我認爲，我們在澳洲長大，又在加州住過一小段時間，也算見識過壞人，不過這次的南非行才眞的讓我們大開眼界，覺得以前的見聞眞是小兒科。抵達南非後，我們開車離開機場，在經過約翰尼斯堡時，亞倫和我就有了深切的體會。在某個十字路口，亞倫

望向窗外，看見一個嚇死人的告示牌：「打劫區」。

亞倫看著我們的司機，問道：「約翰，那個牌子是什麼意思？」

「喔，它的意思是，在這一區，有人會打破你的車窗，搶走你的東西，然後逃跑。」約翰回答。

我們鎖上車門，開始密切注意四周狀況。看見那附近的住家都被高聳的水泥牆圍住，牆上還有銳利的尖刺時，我們就更擔心了。頭幾天認識的人之中，就有好幾個提到被襲擊、被搶劫的經驗。不過，後來我們發現南非並沒有比其他某些貧窮、犯罪率高的地方更危險。

事實上，亞倫和我都愛上南非、愛上那裡的人。儘管這個國家問題很多，我們卻發現南非人總是充滿希望與喜樂。我們從未見過那麼深切的貧困和絕望，卻也沒看過那麼莫名的喜樂和堅定的信心。

孤兒院的狀況讓人揪心，卻也很激勵人。我們去的其中一家孤兒院專門收容被遺棄在垃圾桶或公園長椅上的小孩，大部分的孩子都生著病或營養不良。因爲那些孤兒讓我們深受震動，第二天，我們又帶著披薩、飲料、玩具、足球和其他禮物去了一次，結果那些東西讓小朋友高興得要命。

此外，我們還看到感染了噬肉菌，身上有開放性傷口的孩子，看到罹患愛滋病而垂死

的孩童和成人，也看到每天四處找食物跟乾淨飲用水的家庭。近距離地看到這些狀況，聞到疾病與死亡的氣息在極度痛苦的人身旁縈繞不去，體認到我能做的就是為他們禱告，以安慰他們，這些都是讓我深受啓發的經驗。

我之前從未見過那樣的貧困與苦難，比起我所承受的，那些狀況糟多了；相較之下，我的人生眞是養尊處優。於是，我陷入了兩種彼此衝突的感覺中，其一是深刻的同情，讓我想要採取行動、盡我所能去救助每一個人；另一種感覺則是憤怒，對於世上居然有如此苦難覺得非常生氣，而且這樣的狀況似乎改變不了。

爸爸經常提到他在塞爾維亞的童年，晚餐只有一塊麵包、一點點水和糖。他的父親——我祖父——是個理髮師，在一家國有的理髮店工作，但是當他拒絕加入共產黨時，就被趕了出來。共產黨經常對他施壓，所以他也很難經營自己的店。祖父因為信仰的關係，不能攜帶武器，所以全家人一年必須搬一兩次家，免得祖父被徵召入伍。後來他罹患肺結核，沒辦法再當理髮師，祖母為了扶養六個孩子，便去當裁縫師——在南非近距離觀察到貧窮與飢餓之後，父親家族的苦難奮鬥對我來說有了全新的意義。

現在，我親眼見過垂死母親眼中的痛苦，聽到她們的孩子因為飢餓所發出的哀鳴；我們去探訪貧民窟，看到那裡的許多家庭棲身於比儲藏室大不了多少的狹小錫板屋裡，用報紙隔間，沒有自來水。

我還去一座監獄演講，來聽講的囚犯擠滿了小教堂和外頭的庭院。我們得知許多囚犯正在等待審判，其中不少人欠了錢就被逮捕，因爲他們欠錢的對象是有能力讓他們吃牢飯的人。我們就碰到一個囚犯，他因爲欠人兩百美元，而被判刑十年。那一天是由囚犯們獻唱詩歌，他們的歌聲帶著讓人驚歎的喜樂，飛揚在這孤絕之地。

帳戶空空，但心是滿的

去南非時，我是個非常自以爲是的年輕人，認爲自己一定可以在這片廣袤的土地上發揮影響力。但事實上，是南非影響了我。

當你不再只想到自己、跨出去接觸他人時，你將會改變。你會變得謙卑、會受到激勵，更重要的是，你會感受到自己是一個比你還要大的世界的一部分，這種感覺將大大地震動你。不僅如此，你還會了解到自己可以有所貢獻。你爲了讓別人的生命變得更美好所做的一切，會讓你的人生更有意義。

在南非的頭幾天，我就明白爲什麼約翰．品格要花時間幫助我在他的國家傳達希望與信心的訊息。他看見的遠超過我所曾見過的。我了解到，我非常地自我中心，這個沒手沒

腳、要求很多的傢伙總認爲世上沒有人像他一樣受那麼多苦。

到過南非之後，我連去雜貨店的感受都不同了。我們家附近的雜貨店裡的東西之多、之豐富，是南非孤兒院和貧民窟那些人想都沒想過的。一直到現在，當我舒舒服服地待在有空調的辦公室，或是喝上一杯冷飲時，就會想到那次的南非之旅。這種程度的舒適，在那裡都算奢侈。

亞倫目前在澳洲的高中教數學及科學，他還常常談到南非之行，覺得那次的旅程點醒了我們。有些景象讓我們覺得哀傷，但也有許多驚奇之遇。我倆都同意，那是我們一生中最棒的旅行。回家之後，我和亞倫都在想：「我們能做些什麼來減輕別人的痛苦？貢獻一己之力最好的方式是什麼？一旦知道世上竟有人如此受苦，我們又怎能繼續過著和往常一樣的生活？」

你不必到遙遠的地方去尋找需要幫助的人，事實上，那次的南非之旅讓我們更容易察覺到自己的社區和國家有哪些人需要幫助。你可以在附近的教會、養老院、紅十字會、救世軍、遊民收容所、食物供應站等地方找到奉獻時間、才華和金錢的機會。無論你分享的是時間、金錢、各種資源或人脈，都一定會帶來改變。

第一次去南非時，我對於可以展開服務他人的使命感到很興奮，便捐獻了我存款中的兩萬美元；在當地時，我們又另外募了兩萬，也捐了出去！我們花了好幾天買禮物送給孤

兒，給他們食物，爲他們添購圖書、毯子和床。我們還買了電視和DVD播放機送給孤兒院，並透過幾個慈善機構捐錢。

對我來說，兩萬美元始終不是一筆小數目，但回頭想想，我眞希望自己有更多錢可捐。光是可以在一些地方影響一些人的生命，就給了我前所未有的滿足感。當我從南非回家時，帳戶裡面居然「什麼都沒有」，媽媽是有點不開心，但她也看得出來那次旅行豐富了我的生命，收穫其實是無法計量的。

我的生命有一天會成爲奇蹟

我在南非一所教堂演講時，看見幾百個生病的人、身體有障礙的人和垂死的人排隊等候療癒奇蹟，那是我最難忘的景象。通常我會在演講中拿自己沒有四肢這件事開開玩笑，只是希望大家能放輕鬆。但是在這個教堂裡，沒有人笑！那些人不是來聽笑話的，他們是爲療癒而來。他們要奇蹟。

每天晚上，他們戴著頸箍、拄著拐杖、坐著輪椅來到這個教堂，希望能被醫治。我們看到兩個愛滋病患躺在床墊上被拖來，其他人則是走了四、五個小時的路才來到這裡。教

堂後面有成排的拐杖和輪椅，據說是那些被治癒的人留下來的。我和亞倫跟一位腿和腳都腫成兩倍大的人說話，他極度痛苦，但還是走到這個教堂來，希望得到醫治。

每個人都祈求有力量可以療癒那些痛苦的人，我當然也曾經禱告，希望出現奇蹟，給我手和腳。但我的請求從來未得應允，而我們在那間南非教堂遇到的大多數人，也沒有得到他們想要的奇蹟，但這並不表示奇蹟不會發生。我的生命有一天可能會成爲奇蹟，因爲我曾經向這麼多不同的聽衆演講，分享信仰，並鼓舞了他們。

一個塞爾維亞裔、沒有四肢的澳洲基督徒，曾應哥斯大黎加、哥倫比亞、埃及和中國等國家的政府領導人之邀前去演講，這可不是小奇蹟吧。我和科普特教會的教宗欣諾達三世（**Pope Shenouda III**）、穆斯林的最高領袖坦塔維（**Sheikh Mohammed Sayed Tantawi**）碰過面，更別提耶穌基督後期聖徒教會（❺）的領導人了。我的人生經歷證明了一件事：除了我們自己，沒有什麼可以限制我們的人生。

過著不設限的人生，意味著知道自己永遠可以付出某樣東西，來減輕他人的負擔。即使是小小的善行、少少的幾塊錢，都能帶來重大影響。二〇一〇年海地大地震後，美國紅十字會迅速成立援助專案，任何想幫忙的人都可以參與，只要透過手機簡訊輸入「**HAITI**」（海地）這個字，再傳到90999這個號碼，就可以捐出十美元。

十美元看起來不多，輸入「**HAITI**」這個字也不費力，這是個小小的慈善行動。但

如果你是其中一個參與者，你就造成了很大的影響。根據我最近向紅十字會查到的資料顯示，超過三百萬人透過手機簡訊捐了十美元給海地；因此，紅十字會收到了超過三千兩百萬美元的捐款，可以用來幫助海地人。

做喜歡的事來幫助別人

你可以做任何你喜歡做的事去幫助別人。你打網球嗎？騎自行車嗎？愛跳舞嗎？把你喜歡的這些事變成慈善活動吧。例如，爲你當地的基督教青年會辦一場網球賽、爲「小童群益會」（❻）策畫一趟鐵馬行，或是辦一場舞蹈馬拉松來募款，爲貧童添購衣物。

希拉蕊．李斯特（Hilary Lister）熱愛航行。三十七歲那年，她決定嘗試單獨駕船繞行英倫三島一周。她規畫了這個四十天的航程，爲她創立的慈善基金會募款。希拉蕊的基金會幫助身障者和弱勢族群學習航海，她相信航海活動可以提振身障者的精神與自信。

希拉蕊之所以相信航海有療癒功能，是因爲她個人就有這樣的經驗。她因爲罹患進行性神經疾病，十五歲以後手腳就不能動。這位擁有牛津大學學位的四肢痲痺患者駕著特製的船航行海中，利用三根吸管組成的「吸—吹系統」來操控她的船，其中一支吸管控制舵

柄，剩下的兩支則幫她掌舵。她是第一位獨自駕船穿越英吉利海峽並繞行英國一周的四肢麻痺航行者。

即使是盜版，上帝依然作工

南非驚奇之旅過後幾年，一位小名叫韓韓的男士邀請我到印尼演講，他是華裔，在澳洲的印尼人教會擔任牧師。我先前也曾應他之邀去過印尼，這是第二次。

某個禮拜天上午，在一家教會辦完三場演講之後，我們休息了一下，因為當天晚上我還有三場活動。我又餓又累，但決定先處理餓的問題，塡飽肚子再說。我們在附近找到一家中國餐廳，於是我的看護寶漢抱著我，跟當地一些社團領袖和本次巡迴演講的贊助者一起走進去。

餐廳是混凝土的地板加上木製桌椅，看起來挺陽春的。我們剛坐下，一個年輕女人就走了過來，倚在門邊。她流著淚，並用印尼語對我說話。我不知道她在講些什麼，但看得出來她在對我打手勢，似乎想要一個擁抱。我對她的同情如浪湧出。

在場的商人和社團領袖似乎都被她的言語打動了。他們解釋說，這個女人——以斯

帖——和母親及兩個兄弟住在垃圾場旁邊一個以紙板搭建的破爛小屋裡，他們每天在垃圾場覓食，並挑揀出塑膠賣給回收工廠。她對上帝有堅定的信仰，但是當父親遺棄他們時，以斯帖絕望到打算自殺；她認爲自己的人生已經不值得活下去了。

某次聚會時，以斯帖禱告，跟上帝說她以後沒辦法再到教會了。但就在那一天，教會的牧師讓會眾看我的DVD。那是盜版片，我的盜版DVD在印尼已經賣了一萬五千張。

當我第一次從韓韓口中得知我的DVD在印尼被盜得這麼嚴重時，我說：「不要擔心，要讚美上帝！」我關心的是有多少人可以聽到我的訊息，而不是獲利。以斯帖的故事會證實，即使是不合法的盜版，上帝依然作工。

透過翻譯，以斯帖告訴我，我的DVD讓她抵制絕望，找到了生命的目的，並心懷盼望。她認爲：「如果力克能夠仰賴神，我也可以。」以斯帖爲了能有份工作禁食禱告了六個月；之後，她在這家中國餐廳找到工作，於是我們見到了彼此！

聽完她的故事之後，我給了以斯帖一個擁抱，並問她未來有什麼計畫。她說，儘管她沒什麼錢，而且一天工作十四個小時，但她想要成爲一個以兒童爲對象的傳道人。她想去讀神學院，然而以她的情況來說，她也不知道要如何實現這個願望。因爲沒錢、租不起房子，所以她住在餐廳裡，睡在地板上。

聽到這兒，我差點沒從輪椅上跌下來。我在那家餐廳吃得不太舒服，所以眞的無法想

像這個可憐的女人天天睡在這種地方。我鼓勵以斯帖另外找個地方住，追尋夢想，爲了向兒童傳福音而努力。

在場的人裡面有一位牧師，在以斯帖回去工作後，他告訴我，當地的神學院學費很貴，而且光是要參加入學考試就要排隊等上十二個月，然後只有少數幾位申請者可以過關。

一盤熱騰騰的食物擺到我眼前，但我已沒了食欲，一直想著這個睡在地板的可憐女人。當其他人在做謝飯禱告時，我爲以斯帖祈禱，結果我的禱告幾乎立刻就有了回應。坐我隔壁的牧師說，如果我能付點押金，他的教會可以提供以斯帖住的地方。我問他以斯帖是否付得起那裡的租金，牧師向我保證一定在她的能力範圍內，於是我同意了。我興奮地想告訴以斯帖這件事，但是在她回到我們這桌之前，在場的某位商人說他願意支付這筆押金。

我告訴他，我想盡一份心力，但還是謝謝他的好意。就在此時，另一個人開口了：

「我就是神學院的董事長，」他說，「我同意讓以斯帖在這個禮拜參加入學考，如果她通過了，我會讓她拿到獎學金。」

上帝的計畫在我眼前展開。以斯帖以極爲優異的成績通過入學考，並於二〇〇八年十一月從神學院畢業。她目前在印尼最大的教會之一服事，負責青年部，並計畫在她的社

區設立一家孤兒院。

在這本書裡，我一直在談人生目的所擁有的力量，而以斯帖的故事就是那份力量的證明。這個年輕女人別的沒有，只有對自己生命目標的強烈感受，以及對上帝的信心。而她的目的與信心創造出強力的磁場，把我和她的圓夢團隊吸引了過來。

請不設限地活出你的人生

以斯帖的故事讓我驚奇，也鼓舞了我，希望你也有這樣的感覺。我寫這本書的目的是點燃你內在的信心與希望，讓你也能活出不設限的人生。你的環境可能很艱難，你的健康、財務或親密關係可能出了問題，然而，如果你擁有人生目的、對未來有信心，並且下定決心永不放棄，你就能克服任何阻礙。

以斯帖做到了，你也可以。在成長過程中，我沒有四肢的這件事常常被視為無法克服的負擔，但我身體上的障礙卻被證明在許多方面都是祝福，因爲我學會了跟隨上帝的路。

你或許也面對了許多試煉，但你要知道，無論你覺得自己有多軟弱，上帝總是剛強的。祂爲身障的我增添能力，爲我注入熱情，讓我可以與人分享我的故事和信仰，並幫助

別人克服困境。

我了解到，我的人生目的是將自己奮鬥的歷程化爲學習的功課，去榮耀上帝，並鼓舞他人。祂賜福給我，讓我成爲別人的祝福。所以，請帶著熱情將你的祝福分送出去吧，要知道，你所做的一切將擴大許多倍。萬事互相效力，叫愛神的人得益處；祂愛你，我也愛你。

基督徒常被教導說自己是「基督在人間的手和腳」，如果我照字面解讀，可能會覺得自己跟這句話搭不上邊；不過，我是從屬靈的角度來看的。透過我自己的見證和事例，我感動了許多人，並以此服事上帝。我希望能映照出基督對所有人的愛，祂給了我們生命，讓我們彼此分享自己的天賦恩賜。這樣做讓我充滿喜樂，你應該也是。

希望這本書裡的故事和訊息可以幫助你、激勵你去找到自己的人生目的，讓你有盼望、有信心，也讓你愛自己，擁有正面積極的態度，然後變得沒有恐懼、勢不可擋，學會接受改變，也讓自己值得信賴，並打開心胸接受種種機會、願意冒險。最後，則希望你對人存有慈悲心。

請與我保持連絡。

看過本書後，請上我的網站：nickvujicic.com，或是lifewithoutlimbs.org、attitudeisaltitude.com分享你的故事和想法。

吧！

請記住，上帝眞的賜給你的生命一個重要的目的，請不受任何限制地活出你的人生

帶著愛與信心的

力克

注❶：Habitat for Humanity，專為窮人蓋房子的基督教非營利機構，目前已在世界各地蓋了三十五萬棟房子。

注❷：Humanity in Action，國際性的非營利教育組織，致力於協助少數族群。

注❸：《聖經》腓立比書第四章第十三節。

注❹：《聖經》約翰一書第三章第十七節。

注❺：The Church of Jesus Christ of Latter-Day Saints，俗稱摩門教。

注❻：Boys and Girls Club，關注兒童及青少年身心均衡發展的非營利機構。

〈附錄〉

網路時代的行善資源

我鼓勵你像四肢痲痺卻獨自駕船繞行英國一周的希拉蕊一樣，以充滿創意的方式付出、幫助別人。最近流行微型志工與微型行動，這是從微型貸款計畫發展出來的想法與做法（微型貸款已經提供小額貸款給數百萬人，相當成功）。只要有手機、有點時間，你就可以去擔任微型志工，採取微型行動，以幫助有需要的人。

有一家叫「多餘時間」（Extraordinaries）的公司就爲了願意利用智慧手機或網路瀏覽器做好事的人，創造一種商業服務模式。其中的概念是：許多人可能很想做好事，但挪不出一整天的時間，那他們就可以利用搭火車或公車上下班、排隊或工作當中的休息時間，這裡做一點、那裡做一點。「多餘時間」的網站（www.beextra.org）與智慧手機應用程式把這些人串在一起，讓他們可以一點一點地行善。

根據他們網站上面說的，「多餘時間」可以幫人做的好事包括：替某個團體錄製有聲書，一次錄個幾頁，這些有聲書將會分送給身心障礙者；將非營利機構的網站內容翻譯成

外文；記錄你住的城市裡路面坑洞的位置；替大學裡研究鳥類的實驗室辨識鳥類；幫博物館或美術館把各種收藏品貼上標籤；找出適合小孩玩耍的安全地點，並繪成地圖；仔細檢查國會法案，找出藏身其後的政治恩惠，不讓政府以不當撥款方式籠絡人心。

「多餘時間」會向接受他的微型志工服務的企業或機構收取一些費用，這種運用科技與「衆包」（❶）的做法，讓好事以化整爲零的方式完成。透過網路與社交網絡來行善，眞是非常創新，相信這個世界也會因此變得更加美好。以下列出幾個行善網站，你只要利用電腦或智慧手機，就可以投入做好事的行列囉。

公益班底（Causecast.com）

身價數百萬美元的科技新貴雷恩．史考特創立了「公益班底」（Causecast）這家公司，爲的是幫助非營利與社福機構降低捐款的作業處理費，因爲這些費用如果過高，會影響社福機構行善的能力。「公益班底」以創新的方式達成這項目標，包括讓捐款人透過手機，利用簡訊付費系統捐款。「公益班底」也會在非營利機構與有興趣從事公益行銷的企業之間搭起橋梁。如今公益行銷的商機已高達十五億美元，連一些大型企業也希望透過捐款或分紅的方式，把他們的品牌跟一些信譽良好的公益活動連結在一起。

認捐者選擇（DonorsChoose.org）

這個致力於教育的網站推動「公民善舉」。他們應北美各地公立學校老師的請求，幫他們尋找各種資源，範圍從送給經濟弱勢學生的鉛筆，到化學實驗設備、樂器和書籍等等。你可以上他們的網站，選擇你想幫忙的項目，並決定你要捐的數量，想捐多少都可以。然後，「認捐者選擇」網站就會把這些物資送去學校。他們還會提供照片，讓你知道你捐出來的東西在學校被使用的情形，或是提供費用報告，讓你了解你的捐款都花到哪些地方，並附上老師的感謝函。如果是大額捐款或較大宗的物資捐贈，還會收到學生指名致贈的感謝函。

行動協作（Amazee.com）

這個社交網站推動各種倡議方案，有點類似慈善家的Facebook，鼓勵想行善的人提出點子、號召有同樣想法的人，並在它的全球行動網絡上募款。「行動協作」的會員們提出的計畫包括為斯里蘭卡的窮人建立數位學習中心、幫助南非的某個村落供應自來水等。

全球捐贈（GlobalGiving.com）

「全球捐贈」的目標是藉由連結七百多個經過審查的民間公益計畫，幫助捐贈者變成行動者。根據網站上的說明：「從經營孤兒院和學校，到幫助天災的倖存者等，很多人一心想做好事。我們把『有好點子的人』和『慷慨解囊的人』連結在一起，讓各種規模的計畫獲得金額不等的捐款。」

有公益專案計畫的人可以把他們的計畫和希望得到的援助公布在網站上，然後捐贈者可以上網挑選他們想要援助或參與的計畫。「全球捐贈」保證每筆捐款的百分之八十五會在六十天內送達需要的人手上，並立即產生影響。

奇瓦（Kiva.org）

如果你願意小額貸款或捐款給窮人和窮忙族（❷），可以透過這個網站進行。「奇瓦」標榜自己是「全球第一個個人對個人的微型貸款網站」，訪客可以瀏覽網站刊登的低收入創業家資料，然後選擇借錢的對象，貸款期間是六到十二個月。捐款人可以從email、流水帳和還款紀錄中，隨時知道他幫助的對象最新的狀況。

如果有上百萬人願意付出，那麼這裡一點、那裡一點的小錢也能聚沙成塔。根據「奇瓦」的報告，已經有超過五十萬人透過這個網站，利用信用卡或PayPal這個跨國線上交易支付平台借出八千多萬美元。小額貸款每筆金額可以從二十五美元開始，貸款人則分布在一百八十四個國家。

好心（Kinded.com）

澳洲企業家丹尼爾．魯北斯基的經營理念是「不只追求利潤」，他創造了「好事行動」的做法，鼓勵人們用意料之外的善舉給人驚喜。你可以上「好心」網站，製作自己的好心卡，並把卡片印出來。然後，當你對誰做了件好事時，就把這張卡片傳給他；等他對另一個人也做了件好事之後，再把這張卡片傳下去。這些好心卡都有編碼，因此可以在網路上追蹤卡片的下落，大家就能看到每一件好事所引起的漣漪效果。

如果我們經營這個世界（IfWeRantheWorld.com）

可以向外伸出援手的創意做法實在太多了，比方說，「如果我們經營這個世界」網站

就鼓勵個人、組織和企業以微小而容易控管的方式做公益。你可以上他們的網站，以自己的想法完成這個句子：「如果我來經營這個世界，我會……」網站會把認同並願意貫徹你的理念的人和你串連起來，然後，你們可以一起做點什麼。

不被捆綁（Never Chained）

「沒有四肢的人生」有個公益計畫也採用類似做法。我們創造了一個線上庇護中心，或說是青年自我諮商中心，在這個網站上，人們可以分享自己受傷的故事、療癒的故事，然後幫助彼此找到方法，在情感與心靈上過著更美好的生活。

這個點子來自我幾年前遇到的一位十七歲女孩，在我認識她的三年前，她被強暴過。她告訴我，當時的她找不到人可以訴說那段可怕的經歷，幸好透過禱告，上帝醫治了她。之後她寫了一首歌敘述上帝醫治她的過程，希望可以幫助別人。「也許因為我自己有這樣的遭遇，我可以幫助那些想放棄的人，或者拯救一個靈魂。」她告訴我。

這個女孩的故事激勵了我創設這個網站，好讓她的故事和她的歌，可以被那些尋求療癒和鼓舞的人聽見。我無法想像她身心經歷過的痛苦，當她受苦時，我無法在她身邊幫助她，因為那時我還不認識她。但現在我可以幫助她和其他人說出自己的故事，然後療癒彼

此。這個網站叫作「不被捆綁」，名字取自《聖經》經文：「神的道不被捆綁。」（❸）

我的計畫是讓「不被捆綁」有兩階段的使用經驗。第一階段，網友可以分享他們困難時光的故事；第二階段，我們會把他們跟願意提供協助或安慰的人連結起來。我把這裡想成社交網站，讓有需要的人和願意貢獻一己之力的人可以取得連繫。我們的目標不是很大：從一次改變一個人開始改變世界。目前這個網站還在發展中，我們希望鼓勵青少年多多行善。你可以上「沒有四肢的人生」網站（lifewithoutlimbs.org），不只看看「不被捆綁」這個計畫的最新消息，也可以看到我們的行程，以及許多人的生命如何轉變的故事。

注❶：crowdsourcing，將一個工作發包給一大堆彼此沒有連繫的分散個體去集體完成。

注❷：working poor，指本身有工作，但收入低於最低生活保障的人。

注❸：《聖經》提摩太後書第二章第九節。

The Eurasian Publishing Group
圓神出版事業機構
用心與你對話・視野無限寬廣
方智出版社
Fine Press

http://www.booklife.com.tw
inquiries@mail.eurasian.com.tw

方智叢書 199

人生不設限──我那好得不像話的生命體驗

作　　者／力克・胡哲（Nick Vujicic）
譯　　者／彭蕙仙
發 行 人／簡志忠
出 版 者／方智出版社股份有限公司
地　　址／台北市南京東路四段50號6樓之1
電　　話／（02）2579-6600・2579-8800・2570-3939
傳　　真／（02）2579-0338・2577-3220・2570-3636
郵撥帳號／ 13633081　方智出版社股份有限公司
總 編 輯／陳秋月
資深主編／賴良珠
責任編輯／黃淑雲
美術編輯／劉嘉慧
行銷企畫／吳幸芳・陳羽珊
印務統籌／林永潔
監　　印／高榮祥
校　　對／賴良珠
排　　版／杜易蓉
經 銷 商／叩應有限公司
法律顧問／圓神出版事業機構法律顧問　蕭雄淋律師
印　　刷／祥峰印刷廠
2010年10月　初版
2011年6月　28刷

定價 280 元　　ISBN 978-986-175-206-8　

Printed in Taiwan

你本來就應該得到生命所必須給你的一切美好！

祕密，就是過去、現在和未來的一切解答。

——《The Secret 祕密》

國家圖書館出版品預行編目資料

人生不設限：我那好得不像話的生命體驗／
力克．胡哲（Nick Vujicic）著；彭蕙仙 譯.
-- 初版 -- 臺北市：方智，2010.10
320面；14.8×20.8公分 --（方智叢書；199）
譯自：Life without Limits : Inspiration for a Ridiculously
Good Life
ISBN (13)： 978-986-175-206-8（平裝）

1. 基督徒 2. 快樂

244.9 99013972